KB088890

백합, 이 좋은 걸
이제 알았다니

백합, 이 좋은 걸
이제 알았다니

◇◇◇◇◇◇

요라 지음

구픽

CONTENTS

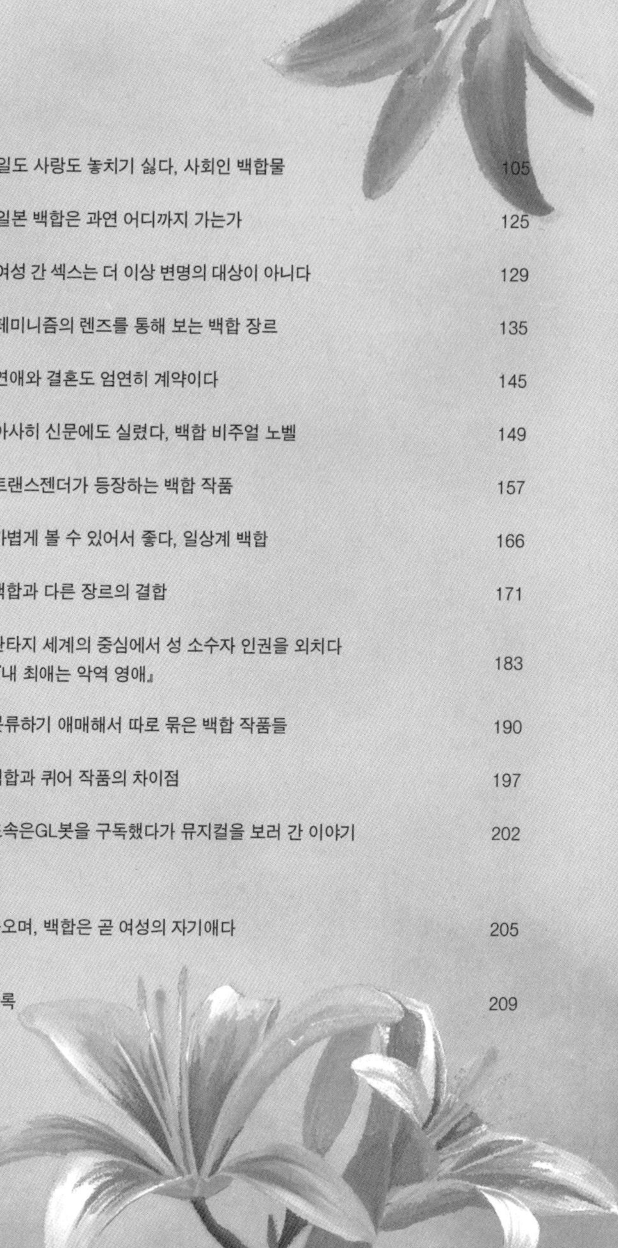

일러두기

이 책에 소개된 작품들을 단행본은『 』, 전자책과 웹소설 등은「 」, 웹툰은《 》, 애니메이션과 영화, 게임 등은〈 〉으로 표기하였습니다.

◆ 들어가며

일본의 서브컬처에 대해서 다루는 책을 추천받아서 읽은 적이 있었다. 솔직히 아직도 마이너 장르인 백합에 대해서 지문을 할애할 거라고는 기대하지도 않았다. 하지만 일본의 소녀 만화(순정 만화)에 대한 언급이 거의 없다는 사실은 제법 충격으로 다가왔다. 기껏해야 세일러문과 우테나에 대해서 짤막하게 다루었을 뿐이다. 『베르사유의 장미』도, 『유리가면』도, 『꽃보다 남자』도 없었다. 『유리가면』을 읽고서 연극을 좋아하게 된 사람이 한둘이 아니고, 『꽃보다 남자』는 몇 차례나 드라마로 만들어졌는데도 취급이 이렇다. 심지어 백합과 BL이라는 장르 또한 소녀 만화에서 갈라져 나왔다. 그만큼 거대한 장르이기 때문에 일본 서브컬처를 다루는 책이라면 반드시 언급하고 지나가야 한다. 반면 남자가 주요 독자층인 소년 만화에 대해서는 아주 상세하게 다루었다. 차라리 일본의 '남성향' 서브컬처에 대해서 다룬 책이라고 했으면 납득이라도 하겠다. 남성의 이야기는 이렇듯 언제나 과대 대표되며, 여성의 이야기는 언제나 지워진다. 의도적인 누락 또한 엄연히 억압의 한 형태이다. 백합 또한 여성이 주류가 되어 이끌어 온 장르이다. 이 일을 계기로 어떻게든 기록을 남겨야겠다고 다짐했다.

게다가 여성의 이야기는 지워지는 데서 그치지 않는다. 지긋지긋할 만치 편견과 오해에 휩싸인다. 백합 온리전만 가 봐도 여자가 태반인데 잘 알지도 못하는 사람에게서 백합은 이성애자 남성이 레즈비언을 대상화하는 장르라는 소리를 듣는다. 여성 간 로맨스와 성애가 주류인 장르인데도 백합은 여성들의 우정을 주로 다루는 장르라는 헛소리를 듣는다. 심지어 백합이라는 장르 이름만 하더라도 온갖 시비가 걸렸다. 여성을 꽃으로 취급하니 여성 혐오라나 뭐라나.* 하나하나 반박하기 위해서 자료를

* 당연히 이것은 사실이 아니다. 백합이라는 단어는 1971년에 창간된 게이 남성을 위한 잡지 <바라족>(장미족, 薔薇族)의 초대 편집장 이토 분카쿠가 잡지에다 '백합족을 위한 코너'를 마련한 것이 시초였다. 여기서 '백합족百合族'이란 '장미족'과 대응되는 단어로서 레즈비언 여성을 가리키는 말이었다. 다만 이토 분카쿠는 레즈비언을 백합족이라고 명명한 이유를 다음과 같이 밝혔다. "레즈비언을 백합족이라고 부르는 것은 제가 고안했습니다. 백합은 나르시시즘의 상징이니까요." 하지만 나르시시즘을 상징하는 꽃은 백합이 아니라 수선화다. 아마 '바라(장미)'와 '유리(백합)'가 똑같이 2음절이라서 별생각 없이 갖다 붙였을 공산이 크다. 혹은 일본에서는 홍백가합전처럼 홍팀과 백팀이 대결하는 경우가 많기 때문에, 붉은 장미와 대비되는 하얀 백합이라는 이미지를 떠올렸을 수도 있다.

"「いま気にかかっているのは少年愛のこと」ゲイ雑誌『薔薇族』の初代編集長"
출처 http://news.nicovideo.jp/watch/nw137585

모으고 블로그에다 글을 썼다.* 그것을 몇 년째 반복하다 보니 제법 분량이 쌓였다. 그러던 어느 날, 느닷없이 출판사에서 출간 제의가 왔다. 이것이 이 책을 출간하게 된 사연이다. 이 책은 블로그에 썼던 내용을 약간 다듬고 군데군데 살을 덧붙여서 엮어냈다. 몇몇 부분은 아예 새롭게 고쳐 쓰기도 했다. 이 책 자체가 블로그의 개정증보판이라고 보아도 무방하다.

우선 1부에서는 장르의 계보와 장르를 둘러싼 각종 논쟁을 소개한다. 백합이라는 장르는 일본이 원류이기 때문에, 그리고 글쓴이가 한국인이기 때문에 일본과 한국의 백합 작품 위주로 계보를 엮었다. 또한 미국 애니메이션이나 여자 아이돌 팬픽 등 잘 모르는 분야는 제외할 수밖에 없었다. 이 책은 어디까지나 직접 본 작품만 언급한다는 원칙하에 썼으므로, 만약 누락된 부분이 있다면 글쓴이의 식견이 좁은 탓이지 결코 그 부분이 중요하지 않아서가 아니다. 계보를 엮는 작업은 필연적으로 작성자의 주관과 우선순위가 개입할 수밖에 없다. 그 지점을 부디 양해해 주시기 바란다.

* 주소는 https://blog.naver.com/ephedra88이다.

2부에서는 각종 백합 작품을 주제별로 묶어서 소개한다. 블로그에서는 입문자를 위한 글을 썼기 때문에 가장 무난한 작품을 최대한 많이 소개했다. 하지만 이 책에서는 작품의 개수는 줄이고 대신 깊이를 더하기로 했다. 1부와 마찬가지로 작품 선정은 작성자의 취향에 깊게 의존할 수밖에 없다. 누락된 작품이 있다면 글쓴이의 취향에 맞지 않아서다. 절대 완성도가 떨어져서가 아니라는 사실을 알아주시기 바란다. 또한 관심이 가는 작품을 바로 플랫폼에서 찾아볼 수 있도록 따로 부록을 만들었다. 정식 판권이 존재하지 않는 작품을 합법적으로 보려면 비리비리 같은 우회로를 거쳐야 한다. 그 방법도 부록에서 같이 소개할 것이다.

이 책은 혼자만의 힘으로 써낸 것이 아니다. 트위터의 나니와님(@kinnaniwa)과 함께 나눈 대화는 크나큰 도움이 되었다. 그분이 보여 주신 글 덕분에 백합 동인에 대한 언급을 대폭 늘리게 되었다. 언젠가는 꼭 완성된 글을 볼 수 있었으면 좋겠다. 또한 트위터의 ㅎ모님한테는 백합 장르의 계보에 대한 자세한 첨삭과 교차 검증을 받았다. 다시 한 번 감사의 뜻을 전하고 싶다. 그리고 이제는 사이가 틀어져서 여기에 이름을 언급할 수는 없지만, 이 자리에 오기까지 무수한 사람들과 이야기를 나누며 에너지를 나누어 받았다. 고맙고도 미안한 마음이 앞선다. 다들 행복하게 잘 지냈으면 좋겠다. 마지막으로 이 책이 단행본으로 나올 수 있도록 기회를 주신 출판사와 이 책을 집어 든 독자분들께도 더없이 감사한다. 이 책을 읽고서 독자 여러분이 백합이라는 장르에 대해 조금이라도 관심을 갖게 된다면, 이 책은 그 본분을 다한 셈이다.

1부

◇◇◇◇◇◇◇

백합이란
무엇일까

◆ 백합의 정의

장르의 정의는 늘 논쟁거리였고 지금도 현재진행형이다. 따라서 여기서 말하는 정의가 절대적인 정답은 아니라는 점을 미리 밝힌다. 여태까지 본 백합의 정의 중에서 가장 마음에 들었던 정의는 〈코믹스 유리히메〉 편집장의 그것이었다. 참고로 〈코믹스 유리히메〉는 일본의 백합 만화 전문 잡지이다. 그 정의란 다음과 같다. 두 여자의 관계. 보다 정확히는 두 여자의 관계를 다루는 모든 작품 및 2차 창작을 아우른다고 해야겠지만. 다만 이 책에서는 철저하게 논의상의 편의를 위해서 좁은 정의의 백합과 보다 넓은 정의의 백합으로 나눌 것이다.

협의(좁은 정의)의 백합

플랫폼의 장르 구분이나 해시태그 등에 의해서 원작자가 직접 백합/GL이라고 명시한 경우를 말한다. 소위 장르로서의 백합. 일본의 예를 들자면 〈유리히메 코믹스〉라는 레이블에서 나온 코믹스. 한국이라면 백합/GL이라는 카테고리 하에 있는 웹툰이나 웹소설을 주로 일컫는다.

광의(넓은 정의)의 백합

두 여성 간의 관계를 다룬 모든 작품 및 2차 창작을 총칭하는 말. 백합 장르에서는 작가가 백합으로 의도하고 그리지는 않았지만, 독자층이 그것을 백합으로 받아들이면서 백합 장르로 편입되는 경우가 상당수 존재한다. 『마리아님이 보고 계셔(이하 마리미테)』나 『케이온』처럼 명시적으로 여성 간 로맨스가 아닌 작품은 대부분 이런 경로를 거친다. 최근 일본의 경향을 보면 두 여성의 관계를 그리고 있다면 백합이라는 넓은 정의가 더 공감대를 얻고 있다. 게다가 백합 장르는 2차 창작이 높은 비중을 차지하기에, 대부분 백합이라고 하면 광의의 백합으로 받아들인다. 이 책에서도 마찬가지로 딱히 명시하지 않았다면 광의의 백합 정의를 사용한다.

다만 아무리 넓은 정의라고 하더라도 경계선은 있다. 어떤 오리지널 작품이 백합 장르에 속한다고 하려면 최소한의 조건을 갖춰야 한다. 일단 주인공은 당연히 여자여야 하고 주연 대부분이 여자여야 한다. 남성은 최대치가 조연이다. 또한 두 여자의 깊은 관계를 다루는 내용이 주요 서사로 나와야 한다. 남자와 이어지는 작품은 기본적으로 탈락한다. 물론 2차 창작은 상대적으로 이런 제약에서 자유롭다. 원작에서 남자와 이어지건 말건 2차 창작에서는 그것을 무시하고 두 여자를 엮을 수 있으니까.

이 경계선은 비교적 최근에 들어서야 생겨난 것이며 그 시기는 대략 2000년대 후반 정도로 본다. 과거에 백합이라 불리던 작품을 살펴보면 지금과는 상이하다. 남자 캐릭터의 비중이 높은 작품도, 여자 주인공이 남자 캐릭터와 이어지는 작품도 백합이라 호명되곤 했다. 그 이유에 대해서는 바로 다음 장에서 다룰 것이다.

◆ 백합 장르, 소녀 만화에서 독립하다

앞서 소개했듯 백합 장르가 공통으로 지니는 장르 문법이 확립된 시기는 아무리 일찍 잡아도 2000년대 중반 이후이다. 그전까지는 소녀 만화나 소녀 소설의 하위분류로서 존재했기 때문에 비극적인 결말로 끝나는 경우가 대부분이었다. 여기서 백합 장르의 계보를 간략하게 짚고 넘어갈 필요가 있다.

일본에서 백합의 시초로 불리는 작품은 요시야 노부코의 『꽃 이야기花物語』이다. 1916년부터 1924년까지 일본에서 연재되었는데, 당시에 여학생의 바이블이라고까지 불린 베스트셀러였다. 20세기 초 일본에 여학생을 위한 근대 교육 기관인 여학교가 우후죽순으로 생겨나면서 여성 사이의 친밀성을 다루는 소설이 인기를 끌었던 것이다. 당시 일본의 식민지였던 조선의 여학생들도 꽤 즐겨 읽었다고 한다. 이 작품을 문화적 레퍼런스로 삼아 당대의 일본과 조선 여학생들은 주로 선후배간에 로맨틱한 우정 관계를 맺게 되는데, 이것이 'S'(혹은 S관계)이다. 일본에서 S는 자매를 의미하는 '시스터Sisters' 혹은 소녀를 의미하는 일본어 '쇼죠' 때로는 '섹스Sex'의 앞글자를 딴 것으로 알려졌다.* 하지만 20세기 초 여성이 경제적으로 독립해서 살아가는 것은 불가능에 가까운 일이었다. 자연히 『꽃 이야기』도 남자와 결혼해서 관계가 끊기는 결말이 많았다.

그 이후로는 주로 소녀 소설과 소녀 만화 위주로 백합 장르의 계보가 이어지는데, 비극적 면모는 그리 달라지지 않았다. 고전 『새하얀 방의 두 사람白い部屋のふたり』(1971)이나 『디어 브라더おにいさまへ…』(1974)도 마찬가지다. 전자는 동성애 비극으로 끝나고, 후자는 결말을 이성애 로맨스로 봉합한다. 소녀 만화나 소녀 소설에서는 기본적으로 이성애 중심주의가 깔려 있었기 때문이다. 다른 말로

* 박차민정, 『조선의 퀴어』, 현실문화, 2018, p.236-237. 백합 장르의 시초인 『꽃 이야기』가 『조선의 퀴어』에 소개된다는 사실부터가 이 장르의 당사자성을 뚜렷하게 드러낸다.

는 이성애 정상성이다. 그러니 퀴어 여성이 등장하는 이야기는 필연적으로 비극으로 귀결될 수밖에 없었다.

1990년대에 들어서야 비로소 밝은 레즈비언이 백합 장르에 등장한다. 세일러문의 우라누스와 넵튠이 대표적인 예시이다. 이쿠하라 감독이 아예 작정하고 동성애 코드를 삽입한 〈소녀혁명 우테나〉도 이 시기의 작품이다. 1999년에는 그 유명한 『마리아님이 보고 계셔』(마리미테)도 연재되기 시작했다.* 이 시기의 작품은 기존의 비극적인 서사는 탈피했지만, 장르 문법의 확립까지는 이르지 못했다. 세일러문의 우라누스와 넵튠은 비중 있는 조연이지 주인공이 아니다. 주인공인 세라는 남성인 레온과 연애하고 결혼한다. 〈소녀혁명 우테나〉는 여성 간 동성애를 다루기는 하지만 등장인물 중에서 남성의 비중이 매우 높다. 물론 이 작품이 전하는 메시지를 생각하면 그럴 수밖에 없다. 여자아이한테 왕자는 필요하지 않다는 이야기를 하려면 당연히 작중에 왕자가 등장해야 하지 않겠는가. 『마리미테』는 여성이 주연이고 여성 간의 관계를 중점적으로 다루지만, 명시적인 로맨스는 아니다. 애초에 저자인 콘노 오유키는 『마리미테』를 백합으로 의도

* <소녀혁명 우테나>를 제외하고는 전부 한국에서 정식으로 판권을 들여왔다. 『세일러문S』는 라프텔에서, 『마리아님이 보고 계셔』는 리디북스에서 전자책으로 구입할 수 있다. <소녀혁명 우테나>를 보는 방법은 부록에서 따로 소개한다.

하고 내놓지 않았다. 오히려 독자가 『마리미테』를 백합으로 읽으면서 장르의 기존 정의를 확장했다고 보아야 한다. 여성 간의 로맨스와 성애를 다루는 장르에서 여성 간 우애까지 모두 포괄하는 장르로. 이것은 『마리미테』 2권의 후기를 보면 짐작할 수 있다.

"모 인터넷 홈페이지에 『마리아님이 보고 계셔』에 관한 글이 있었는데. '소프트하지만 완전히 백합물'이라는 코멘트가 달려 있는 걸 보고 웃었습니다. 최고의 찬사예요, 감사합니다."

어느 독자가 『마리미테』를 소프트 백합이라고 호명하고, 콘노 오유키는 그것을 최고의 찬사로 받아들인다. 몇몇 남성 평론가의 말처럼 백합이 여성 간의 우애를 주로 다루는 장르라면 굳이 소프트 백합이라는 말이 나올 이유가 없다. 그냥 백합이라는 말로도 충분했을 테니까. 실제로 1988년에 세계 최초의 상업 백합 코믹스가 일본의 백야서방白夜書房에서 나왔는데, 이 작품은 무려 성인 만화였다. 제목은 『비밀의 화원-레즈비언 콜렉션秘密の花園—lesbian collection』이다. 보다시피 제목부터 레즈비언이라는 단어가 들어간다. 트위터에서 어느 분이 이 만화의 내용을 간략하게 소개해 주셨는데 제법 선정적이었다. 그 시대에 여성 간 SM 플레이를 안전하게 즐기는 방법까지 다루니

말이다. 이렇듯 『마리미테』 이전만 하더라도 백합은 주로 여성 간의 성애/로맨스를 의미하는 단어였다.

사정이 이렇다 보니 백합은 주로 동인을 중심으로 발달할 수밖에 없었다. 여기서 동인이란 출판사를 거치지 않고 내는 모든 창작물을 말한다. 주로 2차 창작 동인을 떠올리는 경우가 많지만 백합 장르에서는 창작 동인도 상당히 많다. 동인 작품은 상업 작품과는 달리 시장의 논리에 크게 좌우되지 않기 때문에 오히려 더욱 자유로울 수 있었다. 동인은 『세일러문』의 우라누스와 넵튠의 관계를 다루는 동인지를 그려내며 둘을 주연의 자리로 승격시켰다. 또한 『마리미테』에서 그려진 여성 간의 우애를 성애와 로맨스로 재해석했다. 2000년대 초중반에 백합 장르에 입문한 사람 중에서 『마리미테』 2차 창작을 접하지 않은 사람이 오히려 드물지 않을까. 『마리미테』 원작에서 동성을 사랑한 캐릭터는 사토 세이 하나뿐이지만, 동인은 모든 여성 캐릭터를 동성애자나 양성애자로 재해석할 수 있었다. 짐작컨대 『마리미테』를 소프트 백합이라고 호명한 그 독자도 아마 백합 동인이 아니었을까. 이제 와서는 알 수 없는 일이지만.

백합 동인이 충분히 늘어났다는 것은 곧 백합 상업 작

품의 독자가 늘어났다는 뜻이기도 했다. 지금도 그렇지만 백합 상업 작가는 한 번쯤은 동인의 길을 거치기 마련이다. 일본에서 백합 상업 작가는 동방프로젝트, 러브라이브, 뱅드림 셋 중 하나는 거쳐 간다는 말이 괜히 있는 것이 아니다. 2003년에 현재 〈코믹스 유리히메〉의 전신인 〈유리시마이(백합자매)〉를 비롯해서 각종 백합 전문 만화 잡지가 창간되었다. 그래서 일본에서는 이 시기를 백합 원년元年으로 잡기도 한다. 이 과정에서 백합 동인 작가가 대거 상업지로 진출했다. 그리고 바로 그즈음부터 백합 장르는 소녀 만화에서 본격적인 독립을 이루었다. 그 지점은 시무라 타카코의 『푸른 꽃』(2009)에서 더욱 분명하게 드러난다.*

주인공인 후미는 사촌 언니인 치즈와 서로 좋아하는 사이였지만, 1권에서 치즈가 남자와 결혼하면서 이 관계는 끝난다. 이 치즈 언니는 5권에 가서야 자신의 진심을 말한다. 사촌이고 여자끼리라서 관계를 유지할 자신이 없었다고. 후미는 그 말을 듣고서 담담하게 독백한다. 그게 착각이든 아니든 간에 나는 이 사람을 좋아했다고 인

* 아쉽게도 『푸른 꽃』은 현재 한국어 판권 종료로 절판되었다. 그나마 애니메이션은 라프텔에서 볼 수 있다.

정한 것이다.

"나는 치즈 언니를 좋아했다. 그건 사실이다."

이 장면을 이렇게 해석할 수도 있지 않을까? 치즈 언니는 백합이 소녀 만화에서 분화되기 직전의 모습이고, 후미는 소녀 만화에서 백합이 확고하게 분리 독립을 이루어낸 후의 모습이라고. 전자는 사랑이라는 감정은 엄연히 존재했는데도 불구하고 이성애 결혼이라는 정상성으로 회귀한다. 반면 후자는 퀴어 여성으로서의 자신을 긍정하고 묵묵히 앞으로 나아간다. 치즈와 후미의 관계는 사춘기의 일시적인 감정 따위가 아니었다. 엄연히 서로 좋아했지만 한쪽이 관계를 이어나갈 용기가 없어서 포기했던 것뿐이다. 요즘 나오는 백합 작품은 대부분 로맨스의 법칙을 따라서 두 여자의 해피엔딩으로 결말이 난다. 즉, 백합은 이제 소녀 만화에서 완전히 독립하여 독자적인 장르 문법을 쌓아 올렸다고 보아야 한다.

최근 발간된 『순정 만화 주인공×라이벌』이라는 만화도 이런 경향을 보여 주는 아주 좋은 예시이다. 일본 만화이기 때문에 원제는 당연히 『소녀 만화 주인공×라이벌』이다. 소녀 만화에는 대체로 주인공의 연적으로 등장하는 라이벌이 등장한다. 대부분은 남자를 짝사랑하는 라이벌이 주인공을 견제하는 구도이다. 물론 꼭 남자가 아니라도 경쟁 구도는 성립하기 때문에, 『유리가면』에서처럼 배역을 노리고 주인공을 괴롭히는 경우도 있다. 이 만화는 소녀 만화의 그런 클리셰를 비틀어서 백합으로 엮어냈다. 소녀 만화에서 라이벌과 주인공은 아무리 친해져도 절친한 친구 이상으로는 나아가지 못한다. 하지만 백합에서는 언제든지 연인으로 발전할 수 있다. 이 만화의 제목부터가 커플링을 의미하는 표기(×)가 당당히 들어가니 말이다. 가볍게 읽기 좋은 로맨틱 코미디이니 꼭 읽어 보시기 바란다.

※주관적 경험에 기반한 서술 다수
※출처: 익명의 트위터 유저

백합 장르의 계보

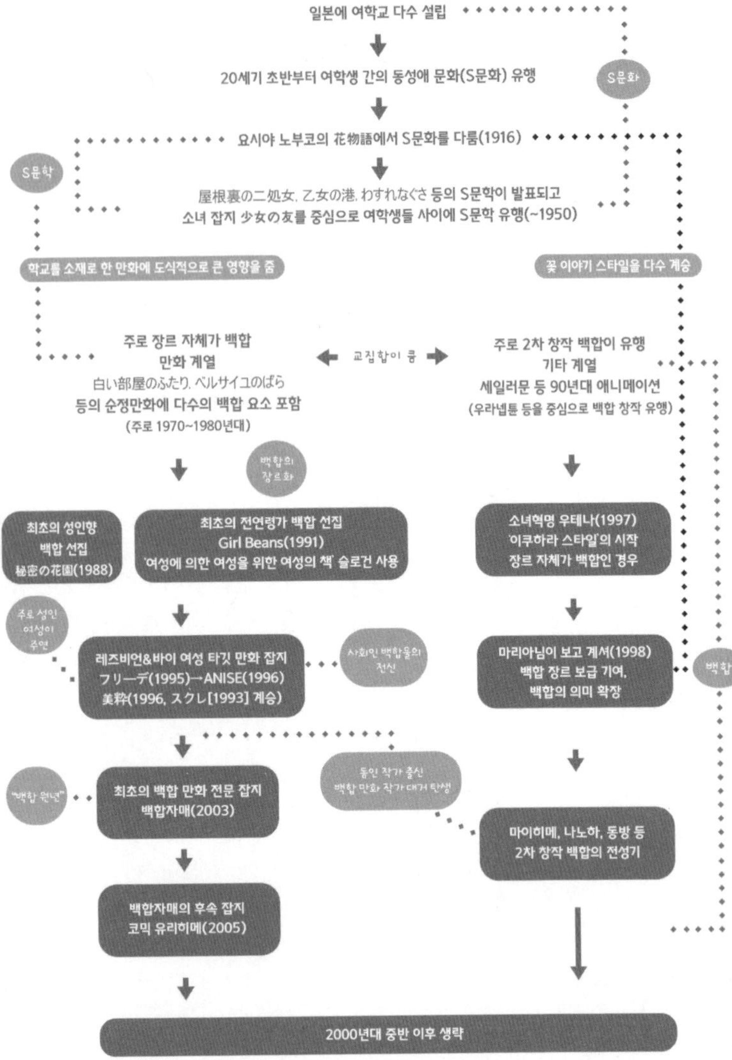

일본에 여학교 다수 설립

↓

20세기 초반부터 여학생 간의 동성애 문화(S문화) 유행

S문화

↓

요시야 노부코의 花物語에서 S문화를 다룸(1916)

S문학

↓

屋根裏の二処女, 乙女の港, わすれなぐさ 등의 S문학이 발표되고
소녀 잡지 少女の友를 중심으로 여학생들 사이에 S문학 유행(~1950)

학교를 소재로 한 만화에 도식적으로 큰 영향을 줌

꽃 이야기 스타일을 다수 계승

주로 장르 자체가 백합
만화 계열
白い部屋のふたり, ベルサイユのばら
등의 순정만화에 다수의 백합 요소 포함
(주로 1970~1980년대)

← 교집합이 큼 →

주로 2차 창작 백합이 유행
기타 계열
세일러문 등 90년대 애니메이션
(우라넷툰 등을 중심으로 백합 창작 유행)

백합의 장르화

최초의 성인향
백합 선집
秘密の花園(1988)

최초의 전연령가 백합 선집
Girl Beans(1991)
'여성에 의한 여성을 위한 여성의 책' 슬로건 사용

소녀혁명 우테나(1997)
'이쿠하라 스타일'의 시작
장르 자체가 백합인 경우

주로 성인 여성이 주연

레즈비언&바이 여성 타깃 만화 잡지
フリーデ(1995)→ANISE(1996)
美粋(1996, スクレ[1993] 계승)

사회인 백합물의 전신

마리아님이 보고 계셔(1998)
백합 장르 보급 기여,
백합의 의미 확장

백합

동인 작가 출신
백합 만화 작가 대거 탄생

"백합 원년"

최초의 백합 만화 전문 잡지
백합자매(2003)

마이히메, 나노하, 동방 등
2차 창작 백합의 전성기

↓

백합자매의 후속 잡지
코믹 유리히메(2005)

↓

2000년대 중반 이후 생략

◆ 백합 장르가 자주 받는 오해 네 가지에 대하여

한정된 지면에서 굳이 이 주제를 자세히 다루는 데는 다 이유가 있다. 오해가 너무나도 만연하기 때문이다. 솔직히 말하자면 매번 똑같은 반박을 하느라 신물이 날 지경이다. 그 오해는 다음과 같다.

첫 번째, 백합은 남성이 주로 본다.

정확히 말하자면 남성'**도**' 많이 본다. 앞서 말했듯이 백합은 기본적으로 일본의 소녀 만화와 소녀 소설에서 기원한 장르이다. 당연히 주요 독자층이 여성이다. 그 유명한 『마리미테』도 소녀 소설의 영향을 짙게 받은 여성향 라이트 노벨이었다. 일본에서 『마리미테』 관련 자료를 찾다 보면 남성이 많이 읽었다는 대목이 꾸준히 언급된다. 의외로 남자'도' 많이 읽었다는 소리다. 여성 독자에 관한 언급이 없는 이유는 하나밖에 없다. 기본적으로 『마리미테』는 여성 독자를 상정하고 쓰인 작품이니까. 기본값을 굳이 언급할 필요는 없는 법이다.

이렇듯 남성 독자가 꽤 존재하는데도 백합을 여성이 이끌어 온 장르라고 말하는 이유는 창작자의 대다수가 여성이기 때문이다. 순정 만화를 읽는 남성이 제법 존재했는데도 불구하고 순정 만화를 여성의 장르라고 하는 이유와 마찬가지다. 창작자의 성비를 알아보는 방법은 그리 어렵지 않다. 백합 동인 행사에서 부스에 앉아 있는 사람들의 성별을 보면 된다. 십중팔구는 여자다. 일본의 백합 독자들은 아직도 여성 작가를 훨씬 신뢰하며, 심지어 남성 작가의 창작물을 가짜 취급하기도 한다. 『이세계 피크닉』의 작가가 이것에 관해서 언급했다. 남성 작가가 갖는 한계가 분명히 존재한다는 말까지 덧붙이면서.* 물론 남성 작가도 「속삭임」 같은 훌륭한 작품을 그려내기도 했기에 무조건 가짜 취급하는 것은 지나친 처사다. 어디까지나 이런 경향이 있다는 사실을 언급하는 것이다.

특히 한국에서 열리는 백합 동인 행사에 가 보면 여성이 우세한 경향은 더욱 두드러진다. 이런 행사는 창작 동인과 2차 창작 동인이 한데 모이는 공간이다. 게다가 동인 행사는 백합 장르의 명절이기 때문에 상업 작품 위주로 소비하는 사람들도 빠짐없이 찾는다. 백합 향유층의 특성을 알아보기 위한 가장 좋은 표본인 셈이다. '제1

* "百合が俺を人間にしてくれた, 宮澤伊織"
출처 https://www.hayakawabooks.com/n/n0b70a085dfe0

회 모두의 백합'이라는 백합 온리전에서 참가자의 성비를 알아보았더니 여성 대 남성의 비율이 대략 8 대 2였다. 어떤 분은 9 대 1로 잡기도 했다. 2019년 2월에 그곳에 다녀오신 분들의 증언을 한데 모아 보았다.*

"남성의 성비가 새우버거 속의 새우만큼도 없었다는 트윗을 발견하였습니다."

"많이 봐도 100명중 5명 정도가 남성이었습니다~"

"제가 지인분만 눈에 담은 사람이긴 했지만 남성분 손에 꼽을 정도였어요."

"인상적인 경험이었어요 제 생각보다 남자가 진짜 없어서 부스러도 여자 스탭도 여자 참관객도 여자 책 속의 인물도 다 여자, 거의 반도리(뱅드림) 세계관의 현실화 수준이었던(?)"

게다가 이 여성 중 상당수는 퀴어 여성이다. 그중에서도 레즈비언과 바이 여성이 가장 높은 비율을 차지한다. 과거의 백합 커뮤니티에서 실시된 설문조사에서 그 흔적을 엿볼 수 있다. 첫 번째 설문조사는 '위킥스'에서, 두 번째 설문조사는 '유리토피아'에서 이루어졌다.

* 참고로 2020년 2월에 '모두의 백합 2회'가 개최되었는데 성비는 여전히 압도적으로 여성이 많았다.

1. 본인은 여성이고 - 남성에게 끌림 (이성) 23 표 (5.47 %)

2. 본인은 여성이고 - 여성에게 끌림 (동성) 91 표 (21.66 %)

3. 본인은 여성이고 - 어떤 성별도 끌릴수 있음 (양성) 165 표 (39.28 %)

4. 본인은 여성이고 - 아무쪽도 끌리지 않아 29 표 (6.9 %)

5. 본인은 남성이고 - 여성에게 끌림 (이성) 58 표 (13.8 %)

6. 본인은 남성이고 - 남성에게 끌림 (동성) 2 표 (0.47 %)

7. 본인은 남성이고 - 어떤 성별도 끌릴수 있음 (양성) 22 표 (5.23 %)

8. 본인은 남성이고 - 아무쪽도 끌리지 않아 9 표 (2.14 %)

9. 그외 - (위의 모든 항목에 해당하지 않음) 21 표 (5 %)

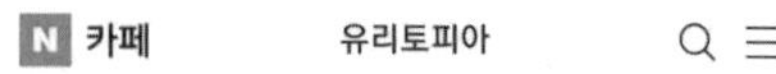

자유게시판 >

앱 열기

유리토피아의 남녀 비율!!!

ㅎㅎ여자분이 많습니다

자유게시판

혹시 여기 여자분들중에..

2017.09.17~2017.10.17 종료 28 일전

궁금해서..

난 실제로 여자를 좋아한다!(친구이상으로..) 183표 75.3%

그냥 백합이 좋을뿐이다! 60표 24.7%

유리토피아에서는 성소수자 정체성과 관련한 게시물이 하도 자주 올라오다 보니 따로 게시판을 마련해야 할 정도였다. 결국은 '비밀의 꽃'이라는 파생 카페로 독립해서 나갔다. 그와 관련한 공지가 아직도 남아 있다. 일부만 인용해 보자면 다음과 같다.*

"백합은 물론 단순히 즐기기 위한 하나의 콘텐츠이지만, 동성애를 다룬다는 점에서 다른 서브컬처와 다른 특이성을 내포하고 있습니다. 실제로 기존에 유리토피아에서 여성 퀴어 컨텐츠(영화, 드라마 등)를 다루기도 했었고, 실제의 경험이나 고민들도 많이 게시되었습니다. 백합/퀴어와 완전히 별개의 것이라는 시선이 있는 반면, 어느 정도의 연관성이 있다는 분들도 못지않게 많습니다."

2019년 백합 향유층의 성적 지향과 성별 정체성을 묻는 설문조사를 개인적으로 실시한 적이 있는데, 그 결과는 앞서 언급한 설문조사와 크게 다르지 않아서 여기서는 생략한다.** 여기서는 결론만 기억해 두면 된다. 백합은 기본적으로 여성향이며, 레즈비언과 바이 여성이 주

* "[간단공지] 비밀의 꽃 관련 추가 설명 & 공지"
출처 https://cafe.naver.com/grlv/41125

** "백합 향유층의 성적 지향 및 성별 정체성 설문조사 결과 및 분석"
출처 https://blog.naver.com/ephedra88/221777409943

축이 되어 이끌어 온 장르이다. 다시 말해서 당사자성이 있는 장르라는 소리다.

두 번째, 백합과 레즈는 엄연히 다르다.

백합은 여자들의 순수한 감정을 다루는 장르이고, 레즈는 질척질척한 육체적 교류를 그려낸다는 식의 비교가 많다. 이미 오래전에 끝난 논쟁인 줄 알았는데 아직도 블로그 검색어에 '백합 레즈'가 자주 보이더라. 하지만 백합과 레즈는 비교 자체가 성립하지 않는다. 비교는 기본적으로 동류항이어야만 가능하다. 개와 고양이를 비교할 수는 있다. 둘은 인간과 가까이 지내는 포유류라는 공통점이 있으니까. 하지만 공통점이 하나도 없는 고양이와 컴퓨터를 비교하는 것은 아예 불가능하다. 백합과 레즈(비언)도 마찬가지다. 전자는 두 여성의 관계를 다루는 서브컬처 장르이다. 후자는 동성애자 여성을 가리키는 성적 지향이다. 뭘 어떻게 비교하면 좋은지 알 수가 없다. 백합 장르에 레즈비언(혹은 바이)이 종종 등장했다고 하면 또 모를까.

게다가 이런 구분에서는 동성애 혐오가 짙게 묻어난다. 백합은 깨끗하고 순수하지만, 레즈는 더럽고 추잡한 무언가라는 뉘앙스가 분명히 존재하기 때문이다. 여성 간의 섹스가 더러운 것도 아닌데 실제로 존재하는 여성 동성애자를 오물 취급하는 셈이다. 그러니 여기서는 둘을 비교하는 대신 왜 굳이 엄격하게 구별하려 했는지 그 이유를 살펴야 한다. (이성애자) 남성의 경우는 비교적 쉽다. 앞서 말했듯이 동성애 혐오 때문이다. 하지만 여성의 경우는 이야기가 조금 더 복잡해진다. 이게 직관적으로는 와닿지 않을지도 모른다. 분명히 앞서 백합을 즐기는 여성 향유자의 대부분은 성소수자라고 하지 않았나? 대체 성소수자 여성들은 왜 그렇게 집요하게 선을 그으면서 백합과 레즈를 구분해야 했을까?

결론부터 말하자면 퀴어 섹슈얼리티에 대한 낙인 때문이었다. 더 자세히 말하자면 디나이얼 성소수자의 어둠과 아웃팅에 대한 두려움 때문이었다. 여기서 디나이얼denial이란 부인 혹은 부정이라는 뜻인데 자신의 정체성을 스스로 부정하는 성소수자를 가리킬 때 주로 쓰인다. 《어서 오세요, 305호에!》 초반의 오윤아를 떠올려 보시라. 한마디로 방어기제였던 셈이다. 『마이히메』의 후지노 시즈루와 『신무월의 무녀』의 치카네를 보면 그 지점을 알 수 있다. 시즈루와 치카네는 본인이 친구를 사랑한다는 사실을 계속 숨겨오다가 그만 돌아 버리는 캐릭터다. 소위 '크레이지 싸이코 레즈비언(크싸레)' 캐릭터인데, 이

둘이 가슴을 부여잡으면서 하는 독백이 있다.

"너의 좋아해와 나의 좋아해는 달라."

유구한 백합 장르의 클리셰다. 그 둘이 다르다는 점을 보여 주기 위해 친구의 신뢰를 이용하여 강간할 필요는 없었을 테지만 말이다. 2000년대 중반의 백합 향유층은 그런 시즈루와 치카네에게 유독 감정 이입하며 그것을 애절한 짝사랑으로 소비했다. 이성애자인 친구를 사랑한 레즈비언의 이야기가 그만큼 인기가 있었다는 것이다. 대부분은 우정조차 잃고 싶지 않아서 자신의 연심을 속이고 계속해서 좋은 친구를 연기하다 결국 미쳐 버리게 된다. 2000년대 백합 작품에서는 이러한 자기기만의 괴로움이 짙게 깔려 있다. 「속삭임」의 우시오도 스스로에게 계속 거짓말을 하다가 결국 자해하는 지경에까지 이른다. 자기기만이라는 게 사람의 마음을 끝없이 뒤틀리게 하니까. 서비스직에 종사해 보신 분들은 알겠지만 아주 잠깐의 감정 노동조차 상당히 마음에 부담을 준다. 그게 누군가를 사랑하는 마음이라면 더욱더 그렇다. 이러한 자기기만이 당시의 백합 향유자의 마음에 공명했다는 게 무슨 뜻일까? 자신의 욕망을 똑바로 들여다보기를 거부하는 디나이얼 성소수자의 어둠을 그 캐릭터들이 제대로 건드렸다고 봐야 한다.

그다음이 아웃팅에 대한 공포이다. 백합 장르를 향유하는 여성이라면 꼭 한 번쯤은 들었을 말이 있다. "너 설마 레즈야?" 이런 질문을 받아보신 분이라면 알겠지만, 이건 절대로 단순한 호기심에서 나오는 질문이 아니다. 너를 기어이 아웃팅시키겠다는 악의가 한가득 담겨 있기 때문이다. 한국이 얼마나 퀴어에게 관대하지 못한 사회인지 조금이라도 아는 사람은 이렇게 물어보지 않는다. 상대가 말할 때까지 기다리지. 사실 재작년에도 오랜만에 비슷한 소리를 들었다. 뜬금없이 실제 퀴어냐고 묻더니 그렇다는 대답을 듣자마자 하는 말이 가관이었다. "그래서 백합 좋아하시는 거예요?" 한순간 당황했지만 곧바로 정색하면서 그건 정말로 무례한 질문이라고 한마디 했다. 지금이야 나이를 먹었으니 그렇게 받아칠 수가 있지만 과거에는 그럴 수가 없었다. 특히 학창 시절에는. 학교가 얼마나 성소수자에게 위협적인 공간인지 당사자라면 누구보다도 잘 아니까. 그때는 이렇게 항변할 수밖에 없었다. "나 레즈 아니야. 백합이랑 레즈는 엄연히 다르다고!" 결국 그런 식의 선 긋기는 아웃팅에 대한 공포에서 나온 자기방어의 수단이었던 것이다.

2010년대로 들어서면 이 양상이 백합 대 GL 구도로 흘러간다. 이를테면 백합은 여성향이고 GL은 남성향이라는 식이다. 백합과 GL은 둘 다 장르의 이름으로서 동류항이 되었으니 이것도 나름대로 발전이라면 발전이다. 하지만 역시 아무런 의미가 없는 구별이다. 백합과 GL은 사실상의 동의어니까. 물론 GL은 주로 로맨스를 지칭하고 백합은 그보다 더 넓은 개념이라서 약간의 뉘앙스 차이는 있지만, 기본적으로는 동의어다. 일본에서 가장 널리 알려진 백합 온리전은 GLF, 즉 Girl's Love Festival이다. 한국의 전자책 플랫폼인 리디북스에서는 아예 백합과 GL를 병기해서 쓴다. 이제는 GL이든 백합이든 딱히 구별할 이유가 없는 셈이다.

최근에는 양상이 약간 달라졌다. 백합 장르에서 더는 레즈라는 단어가 금기어가 아니다. 10대 후반에서 20대 초반 사이의 여성 간 커플을 '청레'(청춘 레즈, 혹은 청소년 레즈)라고 부르기도 한다. 심지어 트위터에서는 "백합을 판다고 해서 다 레즈는 아니지만, 일단 저는 맞습니다."며 자연스럽게 커밍아웃하는 사람도 본 적이 있다. 이제는 아예 백합 대신 레즈를 장르의 이름으로 쓰자는 사람들까지 나오는 실정이다. 물론 이 주장에는 동의할 수가 없다. 아무리 백합이 당사자성이 있다고 하더라도 실제

성소수자의 명칭을 장르에 직접 대입하는 것은 피해야 한다. 게다가 백합 작품 중에서 양성애자나 범성애자로 볼 수 있는 캐릭터가 한둘이 아닌데 자칫하면 그들을 지우는 처사이기도 하니까. 하지만 과거보다 레즈라는 단어가 아무렇지도 않게 쓰이는 것 자체는 긍정적으로 평가할 만하다. 과거와는 달리 여성을 사랑하는 여성들이 자신의 욕망와 정체성을 편안하게 받아들인다는 뜻이니까. 나중에 더 자세히 다루겠지만, 이런 경향은 백합 장르의 작품에도 반영되기 시작했다. 최근에는 실제로 여자와 사귀며 동거하는 여성 퀴어의 에세이 만화(今日もひとつ屋根の下)가 유리히메 잡지에 실리기도 했다. 참고로 『정시에 퇴근하면』을 그린 이누이 아유 작가님의 작품이다.

세 번째, 백합은 여성들 간의 순수한 감정을 다루는 플라토닉한 장르이다.

앞서 말한 오해와 이어지는 내용이다. 이것 역시 완전히 틀렸다. 한때 백합 장르에서 『마리미테』와 같은 여학교 백합물이 주류였던 시절도 물론 있었다. 하지만 이미 과거의 이야기이다. 현재 백합 장르의 주류는 두 여성의 로맨스와 성애이다. 이건 상업 작품의 경향만 훑어보아도 알 수 있다. 한국에서 GL 카테고리에 들어가는 상업 작품은 십중팔구가 로맨스다. 아닌 작품을 세는 게 더 빠를 지경이다. 일본에서는 아예 대놓고 〈레즈비언 업소 앤솔러지〉가 나온다. 심지어 아주 잘 팔렸다. 어찌나 잘 팔렸는지 일본의 백합 전문 잡지인 〈코믹스 유리히메〉에서 아예 업소 아가씨와 연애를 하는 연재물까지 나왔다. 여기서 업소는 당연히 성매매 업소를 말하기 때문에 성행위가 자주 그려진다.

일본의 백합 작품 소개 사이트인 유리내비(yurinavi.com)에서는 1년에 한 번씩 '백합 만화 총선거'를 열고 있다. 쉽게 말해 인기 투표다. 2019년에 열린 제3회 총선거에서는 1위부터 10위까지가 전부 두 여자가 확실하게 사귀고 연애를 하는 로맨스 만화가 선정되는 결과가 나왔다.* 한국어로 표기한 것은 정식 발간이 된 작품이고, 원어 그대로 표기한 것은 정식 발간이 되지 않은 작품이다. 이왕이면 가장 최신인 2021년의 투표 결과를 인용하고 싶었지만, 2021년부터는 분야별로 투표가 이루어져서 순위를 매기기가 애매하다. 그러니 부득이하게 과거의 결과를 인용하는 점을 양해 바란다. 애초에 전반적인 경향 자체는 크게 달라지지 않았기도 하고.

* 百合ナビ, "第3回 百合漫画総選挙 結果発表(1~10位)"
출처 http://yurinavi.com/2019/08/14/daisankai-yurimanga-sousenkyo-01_10

1위 『이윽고 네가 된다』

2위 『시트러스』

3위 『열대어는 눈을 동경한다』

4위 『속삭이듯 사랑을 노래하다』

5위 『나의 백합은 일입니다!』

6위 『꽃에게 폭풍』

7위 『저 아이에게 키스와 하얀 백합꽃을』

8위 『내 마음의 유정천』

9위 『나팔꽃과 카세 씨』

10위 『행진 강아지에게 연서를』

11위부터 20위까지를 살펴보면 『유루유리』 같은 일상계가 섞이기 시작한다. 일상계란 말 그대로 여자아이의 일상을 주로 다루는 작품이다. 『케이온!』이나 『러키☆스타』 같은 작품은 여자만 잔뜩 나오는 특성상 2차 창작으로서의 백합 동인이 흥했다.* 그러다가 『유루유리』의 흥행을 계기로 백합 장르에 확고하게 편입되었다. 다만 일상계라 하더라도 로맨스 요소가 있는 경우도 종종 있어서 무 자르듯이 구별할 수는 없다.

* <언니가 필요해요 Vol.1>, p.66에 따르면 2007년 일본의 여름 코믹마켓(나츠코미)에서 『러키☆스타』의 코나타X카가미 커플링을 다루는 동인지가 상당수 있었다고 한다.

11위『우리가 사귀어도 괜찮을까』

(로맨스. 두 사람이 사귀는 장면부터 시작한다.)

12위『스쿨 존』(일상계)

13위『still sick』(로맨스)

14위『オトメの帝国』(우정 이상 사랑 미만. 비로맨스)

15위『ふたりべや』

(일상계이지만 조금 애매하다. 로맨스 요소가 있다.)

16위『설렁 닿지 않는 실이라 해도』

(짝사랑. 서브 커플은 사귀고 있다.)

17위『将来的に死んでくれ』(조금 애매한 경우이다.)

18위『아름다운 나날』(일상계는 맞지만 로맨스 요소가 있다.)

19위『새내기 자매와 두 사람의 식탁』(일상계. 비로맨스)

20위『유루유리』(일상계. 비로맨스)

21위부터 30위까지는 다시 로맨스 작품이 대부분이다.

21위『티격태격의 연리』(로맨스)

22위『투룸, G펜, 알람시계』(로맨스)

23위『네가 죽을 때까지 사랑하고 싶어』(애매한 경우)

24위『루미너스=블루』(로맨스)

25위『오빠의 아내와 살고 있습니다』(비로맨스)

26위『정시에 퇴근하면』(로맨스)

27위 『できそこないの姫君たち』(애매한 경우)

28위 『青い花』(로맨스)

29위 『나에게 천사가 내려왔다!』(애매한 경우)

30위 『羽山先生と寺野先生は付き合っている』(로맨스)

사실 이것도 로맨스의 기준을 매우 빡빡하게 잡은 것이다. 작중에 둘이 확실하게 사귄다는 언급이 나오거나, 소개문이나 제목에 '사랑'이 들어가는 경우에 한해서만 포함했으니까. 이렇게 보수적인 기준으로 잡아도 전체 30개의 작품 중 17개가 확고한 로맨스이다. 짝사랑이나 로맨스 요소가 있는 작품까지 포함한다면 더 늘어날 것이다. 게다가 일본 소녀 만화의 특성상 결말에서야 둘이 이어지는 경우도 많기 때문에, 로맨스의 범위를 더 넓게 잡는다면 30개 중에서 20개는 거뜬히 넘어간다. 즉, 현재 시점에서 일본 백합의 주류는 두 여자의 로맨스가 맞다.

2차 창작으로서의 백합도 마찬가지다. 물론 로맨스가 아닌 두 여성의 관계를 그려내는 작품도 많지만 주류는 엄연히 로맨스이다. 이건 백합 온리전을 한 번만 가도 알 수 있다. 그곳에서 판매하는 동인지의 대부분은 커플링을 의미하는 표기를(A×B) 표지에 떡하니 명시한다. 별도의 표기가 없다고 하더라도 대부분의 백합 독자는 로맨스를 기대하고서 읽는다. 애초에 백합 동인의 독법이 원작에서는 은폐된 성애와 로맨스를 발굴하는 방식이니 당연하다면 당연한 일이다.

네 번째, 백합은 여성성을 주로 다루는 '여자당한' 장르이다.

이건 정확히는 남자 백합 운운하는 헛소리를 하는 사람들의 레퍼토리이다. 여기에 관해서는 정말 할 말이 많다. 엄연히 남성인 에반게리온의 신지와 카오루를 보고서 그 둘이 "레즈비언 같으니" 혹은 "여성성을 지녔으니" 백합이라는 방식인데 들을 때마다 혈압이 올라서 뒷목 잡고 쓰러질 지경이다. 신지와 카오루는 남성이기 때문에 백합을 즐기는 사람들은 둘을 백합으로 받아들일 수가 없다. 백합이라는 장르의 대전제는 두 여자의 관계니까.

애초에 남성과 남성성은 다르다. 후자는 일종의 남성다움이기 때문에 여성도 남성성을 지닐 수 있다. 디즈니 애니 〈엔칸토〉에 등장하는 루이사가 아주 좋은 예시이다. 루이사는 마법의 축복 덕분에 남다른 괴력을 지니게 된 여성이다. 당나귀 몇 마리쯤은 거뜬히 들어 올릴 수 있어서 마을의 온갖 궂은일은 도맡아서 한다. 그런 루이사는 언제나 강해야 하고 약한 모습을 보여서는 안 된다는 압박감에 시달린다. 현대 사회에서 살아가는 남성들이 흔히 그러하듯이. 이처럼 힘, 용기, 강함은 주로 남성다움을 드러내는 요소이지만 오로지 남성만의 전유물은 아니다.

마찬가지로 여성과 여성성은 다르다. 여성성은 여성다움이기 때문에 남자 역시 여성성을 지닐 수 있다. 섬세하고 다정하며 남을 돌보기 좋아하는 남성은 이 세상에 얼마든지 존재할 수 있다. 여성성을 지닌 남성에게 너는 남성도 아니라는 경멸과 함께 여성으로 취급하는 수법은 아주 전형적인 여성 혐오이다. 계집애 같은 남자와 계집애는 엄연히 다르다는 말까지 해야 하나? 그 계집애 같은 남자는 같은 조건의 여자보다 월급을 두 배 가까이 받는데 말이다. 결과적으로 그런 언사는 남성은 이래야 하고 여성은 이래야 한다는 성 역할 고정관념을 오히려 강화하는 셈이다.

남자 백합은 따지고 보면 일본에서 쓰던 호모 백합에서 연유한 말인데, 일본에서조차 성차별적이라고 비판받은 말이다. 호모 백합은 소위 공수 구도에서 '수'에 해당하는 남성끼리 엮은 BL인데, 결국은 삽입당하는 측(수)을 여성으로 보기 때문에 나오는 말이다. 대한민국이 무슨 고대 그리스도 아니고 남성이 삽입을 받는다고 해서 시민권을 박탈당하고 '여성'이 되는가?[*] 마찬가지로 뻔히 보이는 여성 혐오이다. 호모라는 말은 한국에서든 일본에서든 주로 동성애자 남성을 비하하는 단어로 쓰였기에 폐기해야 하는 말이기도 하다.

게다가 백합은 **여성성**에 초점을 맞추는 장르가 아니다. **여성**에 초점을 맞추는 장르다. 일단 두 여자가 등장하기만 하면 그들이 남성성을 지녔든 여성성을 지녔든 그다지 상관하지 않는다. 백합 장르가 진심으로 남성성을 기를 쓰고 배척했다면 〈소녀혁명 우테나〉가 과연 명작의 반열에 들었을까? 주인공인 텐죠 우테나는 어린 시절 만난 왕자님을 동경한 나머지 본인이 왕자가 되고 싶어하는 인물이다. 1인칭 대명사도 남성형인 '보쿠僕'이며[**] 교

* 남성 호모소셜이라는 개념이 있다. 한국어로 번역하자면 남성 동성 사회성인데 권력 배분이 이루어지는 남성 간의 성애 없는 연대 집단을 뜻한다. 이 남성 호모소셜을 유지하는 기전이 두 가지 있는데 첫 번째는 동성애 혐오이며 두 번째는 여성 혐오이다. 남성이란 곧 여성이 아닌 자이다. 자신이 남성임을 다른 남성에게 승인받기 위해서는 '여성이 아님'을 증명해야 한다. 남자들이 얼마나 계집애 같다는 말을 치욕으로 받아들이는지 생각해 보면 쉽다. 여기서 남성이란 곧 성적 주체를 의미한다. 남성이 성적 주체가 되려면 여성을 성적으로 객체화해야 한다. 남성 호모소셜에서는 삽입당하는 것과 소유당하는 것, 성적으로 객체화되는 것을 곧 '여성화'라고 취급한다. 그래서 남성 호모소셜에서는 엄격한 동성애 혐오가 필요하게 된다. 동성애자가 그 안에 잠복해 있다면 '나도 삽입당하고 성적인 객체화가 일어날지도 모른다'는 공포로부터 자유로울 수 없으니까. 고대 그리스에서는 삽입당하는 남성은 곧 여성 취급을 받았으며 그에게서 아예 시민권까지 박탈했다. 카오루와 신지를 '백합' 커플 취급하는 것도 결국 마찬가지 논리이다. 더 자세한 내용은 우에노 치즈코의 『여성 혐오를 혐오한다』에서 읽어 보시라.

** 일본어는 기본적으로 성별에 따라서 1인칭 대명사가 달라진다.

칙을 위반하면서까지 남자 교복을 입고 다닌다. 즉, 우테나는 남성성을 지닌 여성이다. 백합 향유층은 남성성을 배척하지 않는다. 두 여자의 관계라는 장르의 대전제를 위해서 남성을 배제할 뿐이다. 두 남성의 사랑 이야기를 그리는 BL이 여성 등장인물을 최대한 배제하는 것과 마찬가지다.

따지고 보면 백합은 오히려 여성성이라는 규범을 정면으로 위반하는 장르이다. 여성성 규범은 여러 가지가 있지만 그중에서도 욕망하지 않는 것이 가장 핵심적이다. 그 힐러리조차도 성공을 두려워했다고 하니까. 그중에서 성욕은 특히 여성이 드러내서는 안 되는 욕망이다. 공개적으로 섹스 칼럼니스트로 활동하는 여자들이 어떤 말을 듣는지, 성욕을 자유롭게 드러내는 여성들에게 어떤 낙인이 찍히는지 떠올려보면 쉬울 것이다. 하지만 백합 장르는 기본적으로 두 여성의 성애와 로맨스를 다루는 장르이다. 여성의 성적 욕망이 어떤 식으로든 드러날 수밖에 없다. 두 여성이 섹스를 하려면 적어도 한 여성의 욕망은 드러나야 하지 않겠는가. 다시 말해서 백합 장르를 즐기기 위해서는 독자가 여성의 성적 욕망을 똑바로 응시할 수 있어야 한다. 여성 독자에게 이것은 결국 자기애를 의미한다. 여성의 욕망을 굴절하거나 대리할 수 있는 남성 캐릭터가 백합 장르에는 존재하지 않으니까.

또한 오직 남성만을 욕망할 것도 이 여성성 규범에 들어간다. 미디어에서 다루는 수많은 이성 간 로맨스 이야기를 떠올려 보라. 혹은 정부가 가임기 여성의 수를 지역별로 써 넣어 만든 '출산 지도'를 떠올려도 좋다. 여성은 당연히 이성애자이며, 남성과 결혼해서 아이를 낳아야 한다는 무언의 강박과 압력이 존재하는 셈이다. 페미니즘은 아예 '강제적 이성애'라는 개념마저 만들어 냈다. 당연히 백합 장르는 결과적으로 이 규범도 어기게 된다. 아무리 멋지고 잘난 남성이 있어도 걷어차고 여성을 선택하는 장르니까. 물론 그렇다고 해서 백합이 여성 해방을 위한 정치적인 장르라는 뜻은 아니다. 백합은 어디까지나 욕망이 주도하는 서브컬처 장르이지 페미니즘의 프로파간다가 아니니까 말이다.

◆『마리미테』는 과연 백합인가?

이 제목을 읽는 독자는 상당히 의아하게 여길지도 모른다. 앞에서 실컷 『마리미테』를 언급했으면서 뜬금없이 이게 무슨 소리란 말인가? 2022년 현시점에서 『마리미테』는 백합 장르를 부흥시킨 중시조로서 이미 고전 작품의 반열에 올랐으니 그럴 만도 하다. 하지만 지금으로부터 13년 전인 2000년대 중후반에는 그렇지 않았다. 무려 사람들이 『마리미테』는 과연 백합인지를 둘러싸고 토론을 벌였다. 이제 와서는 믿기지 않지만 실제로 그랬다. 그 흔적을 제1회 백합제(2008년 개최)에서 나온 백합 평론지인 〈언니가 필요해요 Vol.1〉에서 찾아볼 수 있다. 몇 구절을 인용해 보겠다.*

"『마리미테』의 진정한 가치는 오히려 백합에 있는 게 아니다. 산백합회라는 특수한 조직 속에 들어온 평범한 주인공, 후쿠자와 유미를 비롯한 다른 캐릭터들의 마찰과 갈등, 성장이란 주제를 『마리미테』에서 제외시켜서는 곤란하다. 그럼에도 불구하고 '『마리미테』는 백합물'과 같이 『마리미테』의 정체성이 정립되어도 과연 바람직한가?" **

심지어 이 글을 쓰신 분은 『마리미테』는 백합이 아니라는 결론을 내린다. 게다가 그 당시에는 이런 주장을 펼

* 원문은 이곳에서 무료 배포한다. http://yuriinst.egloos.com/3082928

** 로사 카츠라, <언니가 필요해요 Vol.1>, p.60.

치는 사람들이 대다수 있었다. 그만큼 『마리미테』는 당시 백합 장르에서 이질적인 작품이었다는 소리다. 또한 2008년에도 백합이라는 단어는 주로 여성 간의 로맨스, 혹은 성애를 가리키는 말이었다는 사실도 읽을 수 있다. 이 글의 필자는 『마리미테』를 백합물로 소개했다가는 백합에 대해서 잘 모르는 사람들이 "여자끼리 좋아하고 부비적거리는 거 아닌가요?"라는 댓글을 단다고 기술한다. 심지어 백합에 대해서 이런 잘못된(?) 선입견이 형성된 이유는 〈야미와 모자와 책의 여행자〉처럼 여자들의 애정 행각을 진하게 다루는 작품이 먼저 나와서라고 추정한다. 앞서 말했듯이 '백합'과 '레즈'를 철저하게 구별하던 시절의 흔적이다. 이처럼 백합이라는 단어는 시대에 따라서 그 의미가 조금씩 달랐다. 최근에는 『마리미테』처럼 명시적인 로맨스가 아닌 작품까지도 전부 백합 장르에 포함한다. 두 여자의 관계를 중점적으로 다룬다면 모두 백합이라는 식으로 넓은 의미의 백합이 보다 보편적인 정의로 자리 잡았다. 아예 일상계 백합이라는 소분류까지 존재하니까. 짧다면 짧은 세월인데도 언어의 역사성을 잘 보여 주는 예시인 셈이다.

겸사겸사 한국 백합의 역사에 대해서도 짚고 넘어가자. 기본적으로 한국의 백합은 일본의 영향에서 자유롭지 못하다. 일본이 원류이니 당연한 일이다. 1990년대에는 〈소녀혁명 우테나〉를 백합으로 즐기는 사람들이 있었고, 세일러문의 우라누스와 넵튠을 엮으며 백합을 즐기는 사람들 역시 존재했다고 한다. 이것 역시 암암리에 전해 들은 이야기라서 확실치는 않다. 그러니 역시 백합 커뮤니티인 아니메위킥스(이하 위킥스)에서 출발할 수밖에 없다. 아직도 존재하는 사이트이지만* 2009년 이전의 기록은 전부 소실된 상태이기 때문에 대부분은 기억에 의존하는 구술 기록임을 미리 밝힌다.

위킥스는 Grien이라는 운영자가 만든 『마리미테』 팬사이트로 출발했다. 처음에는 『마리미테』의 2차 창작과 원작 감상에 대한 글이 많이 올라왔지만, 점차 백합 전반의 이야기를 나누는 곳으로 확장되었다. 〈마이히메〉, 〈마이오토메〉, 『신무월의 무녀』, 〈SIMOUN〉, 〈마법소녀 리리컬 나노하〉, 〈동방프로젝트〉 등을 비롯하여 다양한 만화/애니메이션의 2차 창작 혹은 감상문이 올라오기도 했다. 비율이 그리 높지는 않았지만 창작 백합 소설이나 만화를 올리는 사람들도 종종 있었다.

* 주소는 http://animewikix.com

다양한 백합 작품을 소개하는 게시판인 '백합정원'과 백합 작품에 대한 감상을 올리는 '감상방'도 있었는데 『걸프렌즈』 같은 일본 만화부터 실제 성소수자를 다루는 소설까지 실로 다양한 작품을 포괄했다. 퀴어 문학으로는 『분홍빛 손톱』이나 『그녀의 여자』, 그 유명한 『핑거스미스』 등의 소개나 감상이 올라왔다. 실제 바이인 작가가 레즈비언인 애인과 연애하는 모습을 그린 웹툰《모두에게 완자가》, 한국에서 살아가는 성소수자들의 현실을 다룬 웹툰《어서 오세요, 305호에!》도 종종 언급되었다.

물론 명시적으로 여성 간의 로맨스를 다루지 않은 작품도 빈번하게 다루어졌다. 앞서 말했듯이 백합은 동인을 중심으로 발달한 장르이기 때문에 원작에서는 은폐된 로맨스의 가능성을 발굴하는 방식으로 독해가 이루어졌기 때문이다. 이걸 시쳇말로 '백합러식 착즙'이라고 한다. 조금 고상한 말로는 레즈비언 독해의 재전유라고 부르기도 하더라. 어쨌거나 그 때문에 『체포하겠어!』나 『카시마시』처럼 지금 시점으로 보아서는 백합이라고 부르기 힘든 작품까지 종종 백합으로 불리곤 했다. 전자는 여성 주연이 남성과 이어지고, 후자는 주인공이 원래는 남성이었다가 우연히 여성의 육체를 획득하는 TS물이다. 워낙 마이너 장르이다 보니 다들 어느 정도는 감안하고 '착즙'

을 시도했던 것이다.

하지만 이 시절은 여성의 성적인 억압으로 인한 자기 검열이 극심한 시기이기도 했다. 특히 레즈비언이나 바이 여성은 퀴어 섹슈얼리티에 대한 낙인 때문에 더했을 것이다. 아직도 기억나는 사건이 하나 있다. 〈마이히메〉의 2차 창작 소설 하나가 음핵이라는 단어를 직접적으로 언급했다는 이유만으로 운영진에게 제재를 받았다. 심지어 『소녀섹트』라는 작품은 아예 위킥스에서 언급 금지를 당했다. 서사가 없이 자극만을 추구하는 포르노 만화라는 이유에서다.

하지만 현재 시점에서 보면 이것보다 더한 작품은 수두룩하다. 유리히메 출판사는 아예 '쌍둥이 백합 섹스 앤솔러지'를 내기도 했다. 자극적인 제목에 비해 평가는 그리 좋지 않았는데 그 이유가 상당히 노골적이다. 쌍둥이끼리 섹스하는 장면을 기대하고 샀는데 왜 다른 여자랑 함께하는 쓰리썸이 이렇게 많으냐는 독자의 원성이 줄줄이 이어졌던 것이다. 동인에서는 한술 더 떠서 '모녀 백합 앤솔러지'가 나오기도 했다. 더 이상의 자세한 설명은 생략한다.* 솔직히 말하자면 도저히 이것만큼은 보지 못

* 그러니 백합이 유독 윤리적인 창작에 얽매인다는 분석은 완전히 헛소리이다.

했기에 설명하고 싶어도 할 수가 없다. 게다가 최근에 아마존재팬 킨들로 『소녀섹트』를 사서 다시 읽어 보았는데, 생각만큼 자극적인 포르노는 아니었다. 나름대로 스토리도 존재하고 대사도 제법 길며, 각 챕터가 끝날 때마다 인물들의 소소한 설정까지 풀어 준다. 그렇다면 위킥스의 유저들은 왜 유독 『소녀섹트』에만 야박하게 굴었을까? 여러 가지 이유가 있겠지만 가장 큰 이유는 『소녀섹트』는 욕망에 그 어떤 변명도 둘러대지 않았기 때문이다. 다시 말하자면 굴절 욕망이 아예 없다. 상대와 키스하고 싶으면 두 시간씩 마음대로 하고, 섹스하고 싶으면 그 자리에서 바로 섹스한다. 다시 한 번 말하지만 아직 백합과 레즈를 철저하게 구별하던 시절이다. 자신의 욕망을 똑바로 들여다보기를 거부하는 디나이얼 성소수자의 어둠이 짙게 드리운 시기이기도 했다. 그러니 시즈루와 치카네조차 '너무 사랑해서 그랬다'는 변명을 구구절절 달아야만 소비할 수 있었던 당시의 백합 향유층이 『소녀섹트』를 똑바로 마주하기는 힘들었을 것이다. 지금 와서 돌이켜보면 『소녀섹트』는 시대를 10년은 앞서간 작품이었을지도 모른다. 최근의 일본 백합 장르는 그야말로 온갖 욕망이 날뛰는 춘추전국시대이니 말이다.

2010년대에 들어서면 백합 장르의 판도가 급격하게 바뀐다. 〈나노하〉나 〈동방프로젝트〉 2차 창작을 즐기던 사람들이 하나둘씩 〈아이돌 마스터〉나 〈러브라이브〉, 〈뱅드림〉의 2차 창작으로 넘어가기 시작했다. 도중에 〈마법소녀 마도카 마기카〉도 2차 창작이 활발하게 이루어지기는 했지만, 전체적인 판세는 이미 아이돌물로 기울었다. 그때부터 아이돌물의 전성시대가 도래했다. 그리고 현재도 여전히 강세를 유지한다. 2020년 2월에 열린 백합 온리전인 제2회 모두의 백합에서도 양대 산맥은 〈뱅드림〉과 〈러브라이브〉였다. 편의상 아이돌물이라고 묶기는 하지만 〈러브라이브〉나 〈뱅드림〉은 일종의 거대 프로젝트다. 다시 말해서 애니메이션, 게임, 성우 라이브 등 각종 미디어 믹스가 활발하게 이루어지는 분야다.

이처럼 한국에서는 일본의 상업 백합 작품이나 각종 2차 창작 위주로 백합의 계보가 이어져 내려왔다. 물론 한국 고유의 백합 계보도 분명히 존재했다. 원더걸스나 소녀시대의 팬픽, 레즈비언 소설 사이트인 '필라인' 등이 그것이다. 특히 필라인에서 활동했던 마모 작가님은 제1회 백합제(2008년)에 단행본 『비쳐 보이는 여자』를 판매하기도 했다. 직접 구입했기 때문에 똑똑히 기억한다. 하지만 협의의 백합에 속하는 백합 상업 작품은 2013년이 되어서야 나온다. 레진코믹스에서 연재된 웹툰인 《나의 보람》, 《What does the fox say》 등이 대표적이다. 레진코믹스는 2015년에는 「존잘님을 납치했다」, 「봄바람」 등의 백합 웹소설도 런칭했다. 몇 년이 흐르자 각종 플랫폼에서도 GL/백합 카테고리를 신설하기 시작했다. 웹소설 연재 사이트인 조아라(joara.com)에서는 2017년에 GL 카테고리를 신설했다. 전자책 플랫폼인 리디북스에서도 2020년에 마침내(!) 만화와 웹툰 하위 분야로 GL 카테고리가 만들어졌다. 이제 한국의 백합 향유층도 취향에 맞는 상업 작품을 그럭저럭 선택할 수 있는 시대가 온 것이다.

한국 백합의 계보

한국 고유의 백합

2000년대 중반
레즈비언 소설 사이트 '필라인'

↓

아이돌 팬픽
(주로 소녀시대, 핑클, 원더걸스 등)

→ 일부가 GL 웹소설로 편입

↓

2008년 한국 최초의 백합
온리전 '백합제' 개최

↓

2013년 레진코믹스에서
백합 웹툰 론칭

→ 한국 최초의 백합 상업작 《나의 보람》, 《블루밍 시퀀스》 등

↓

2015년 레진코믹스에서
백합 웹소설 론칭

→ 「봄바람」 「존잘님을 납치했다」 등

↓

2017년 웹소설 사이트 조아라에
GL 카테고리 신설

↓

코미코, 봄툰, 피너툰 등
각종 플랫폼에서 GL 카테고리 신설

↓

2020년 리디북스 웹툰에
GL 카테고리 신설

→ 오피움

일본에서 유래한 백합

1990년대
세일러문의 우라누스&넵튠,
소녀혁명 우테나
(정확한 팬덤 규모는 불명)

↓

2004년 마리미테 정식 출간
마리미테 팬사이트인
'애니메위키스' 개설→
이후 백합 커뮤니티로

← 〈마이히메〉, 『신무월의 무녀』, (2004)

↓

2000년대 중반 2차 창작으로서의
백합 부흥기(동방 프로젝트, 나노하)

← 〈뱅드림〉(2015)

↓

2010년 이후 아이돌물 백합이
일본에서 유입(러브라이브 등)

↓

2011년 마법소녀 마도카 마기카

↓

2013년 레진코믹스에 의해
일본 백합 코믹스 정식 출간

← 『이윽고 네가 된다』, 『푸른 꽃』 등

↓

2020년 와타오시 정식 출간,
경이적인 판매량 기록

↓

2020년 리디북스
만화 단행본에 GL 카테고리 신설

◆ 백합은 언제나 우정 이상 사랑 '이하'

우정과 사랑의 경계는 그리 뚜렷하지 않다. 이것만 놓고 보면 맞는 말이다. 친구 사이에서 연인 관계로 발전하는 경우는 흔하다. 다만 이러한 경계선에 걸친 감정을 해석하는 방식은 그 관계가 이성 간인지 동성 간인지에 따라 크게 차이가 난다. 주류 사회는 이성 간이라면 조금만 우정이 깊어져도 사랑으로 해석하지만 동성 간이라면 심지어 눈앞에서 섹스를 해도 우정으로 해석한다. 이것은 절대 과장이 아니다. 영화 〈아가씨〉의 숙희와 히데코는 수없이 몸을 섞으며 정사를 나눴던 연인 사이이지만 여성 간의 연대라느니 우정이라느니 하는 소리를 수없이 들어야 했다. 네이버 웹툰 《모두에게 완자가》는 키스 장면 하나 나오지 않는 일상툰이었음에도, 두 여자의 연애를 다룬다는 이유 하나만으로 19세 미만 구독 불가로 지정해야 한다는 목소리가 있었다. 대부분의 성소수자는 청소년기부터 자신의 정체성을 자각한다는 사실을 고려하면 웃기지도 않는 소리다. 이처럼 이성애 규범성을 조금만 벗어나더라도 가차 없이 검열이 들어오는 것이다.

퀴어의 섹슈얼리티를 자주 다루는 백합 장르 역시 이

러한 검열의 덫을 피해갈 수 없었다. 심지어 장르 내부자들 사이에서도 이런 검열은 종종 드러났다. 굳이 우정 이상 사랑 '미만'으로 선을 긋는다거나 하는 방식으로. 사실 주류 사회의 검열을 소수자가 내면화하는 일은 생각보다 정말 흔하다. 최근 들어서는 내부의 검열은 거의 사라진 편이지만 외부의 검열은 여전하다. 『이윽고 네가 된다』에서 주인공인 유우와 토우코가 나누는 정사 장면은 삭제되었다. 《갑자기 옆자리의 그녀와 하고 싶어졌습니다》의 원제는 《갑자기 옆자리의 그녀와 섹스하고 싶어졌습니다》였다. 섹스를 섹스라고 부르지 못하다니 이제는 '호섹호스' 운동이라도 해야 하나? 그저 백합을 좋아했을 뿐인데 왜 느닷없이 홍길동이 되어야 하는지 모르겠다. 그나마 이런 작품은 백합 장르라고 명시한 협의의 백합이기 때문에 작중에서 두 여자의 관계는 로맨스라는 선언을 깔고 간다. 하지만 이런 작품이 본격적으로 나오기 이전에는 주로 우정으로 은폐된 관계에서 연정과 성애를 읽어내야 했다. 특히 2차 창작으로서의 백합에서 그러한 독법이 주류를 이루었다. 하지만 오로지 여성은 남성에게 귀속된다고 믿는 몇몇 이성애자 남성들은 그러한 독법을 견디지 못한다. 주로 남성이지만 사실 이성애자 여성이라고 해도 그리 다르지는 않다.

그것이 동성애 혐오라는 극단적인 형태로 드러난 사건

이 있다. 2020년 12월에 있었던 일이다. 사건의 경위를 요약하면 다음과 같다. 〈러브 라이브! 니지가사키 학원 스쿨 아이돌 동호회〉라는 작품에서 아유무라는 인물이 소꿉친구인 유우를 소파에 밀어 넘어뜨리는 장면이 방영되었다. 그것을 보고 한 남성이 감상을 남겼다. "러브라이브 시리즈에 찐백합(원문은 ガチ百合, 상당히 부담스럽다는 뉘앙스가 존재함)이라니 이거 너무 깬다(원문은 引く)"고. 그러자 한 여성이 다음과 같은 답변을 남겼다.

"친구가 나를 침대 위로 밀어 넘어뜨린 적도 있고, 키스를 당할 뻔한 적도 있지만 그 사람들은 저에 대해 연애 감정이 없었습니다. 유우와 아유무의 관계도 현실적인 사춘기 여자아이들의 우정을 그렸다고밖에 생각할 수 없습니다."

그 답변을 보고 남성은 안심한다. 다음은 당시 일본 백합 타임라인에서 오갔던 의견을 직접 인용한 것이다.

"'러브라이브에 찐백합은 바라지 않았다'부터 시작해서 '뭐야, 일시적인 감정이었잖아' 하고 안심하는 흐름은 표본으로 만들어 두고 싶을 정도로 전형적이네요."

"애니메이션에 등장하는 여자가 레즈비언이라고 생각해서

좀 깼지만, 여자가 말하기를 '이것은 우정이니까 안심하고 소비할 수 있었습니다!'라니 '진짜 남자'라서 참 대단하네요. (칭찬 아닙니다)"

"동성애 묘사를 보고서 '깬다'고 블로그에 써서 공표하는 것은 위험하잖아요.. 2020년에. 호모포비아(동성애 혐오)를 부끄러운 줄도 모르고 드러내는 게 몇 배나 더 깹니다."

상황이 이렇기 때문에 두 여자의 관계는 사랑으로 읽는 게 가장 급진적이다. 그 독해는 주류 사회의 비위를 정면으로 거스르니까. 이걸 유성애나 로맨스 중심주의로 해석하면 안 된다. 여성 간의 우정을 폄하하고자 하는 말도 아니다. 동성 간의 연정이나 성애는 이성 간의 그것과는 다르게 해석해야 한다는 소리다. 주류 사회는 이성애는 적극적으로 권장하고 법적이나 제도적인 혜택을 주지만, 동성애는 어떻게든 우정으로 은폐하려 들고 아무런 법적 혜택도 주지 않는다. 은폐되기 쉬우니만큼 더욱더 적극적으로 로맨스라고 읽어내야 한다. 설령 여자 둘이 작중에서 키스하거나 사귄다고 선언하지 않더라도, 둘의 성적인, 혹은 낭만적인 '긴장감'이 존재한다면 과감하게 사랑이라고 읽어야 한다. 이성 간의 사랑을 다루는 전연령 순정 만화만 하더라도 키스 장면은 마지막에 가서야 나오지만 독자는 그 이전부터 둘의 감정을 사랑으로 읽는다. 동성 간도 마땅히 그렇게 읽어야 한다. 우정과 사랑이 정말로 구별하기 애매하다면 어느 쪽으로 읽어도 크게 상관이 없으니까. 그리하여 다시금 외쳐 본다. 백합은 언제나 우정 이상 사랑 '이하'다!

비슷한 맥락에서 사랑은 성별과 관계없다는 말도 대부분은 기만이다. 범성애자(pansexual)가 아닌 이상 성적 지향은 분명히 성별과 깊은 관련이 있다. 동성애자(레즈비언과 게이)는 상대가 동성이기 때문에 사랑하는 사람이다. 양성애자(bisexual)도 엄연히 성별을 의식하고서 사랑하는 사람이다. 남자는 남자라서 좋고, 여자는 여자라서 좋다는 식의 발언을 양성애자 당사자한테서 몇 번 들었다. 범성애자가 아닌 사람들을 향해서 성별과 관계없이 사랑한다고 하면 그 지점을 애써 무시하고 보지 않으려는 것이다. 따지고 보면 이성애자도 상대가 이성이기에 사랑하는 사람인데 말이다. 『내 최애는 악역 영애』 1권에서 주인공인 레이 테일러가 이 지점을 분명하게 짚고 넘어간다. 작중에서 레이의 독백을 통째로 인용해 보겠다.

"바이섹슈얼이라면 이야기가 다르겠지만 동성애자는 이성을 성적인 의미로 좋아하게 되지 않는다. 사람을 좋아하게 되는 데 성별은 관계없다고 하는 건, 어쩌면 억지로 합리화하는 방법으로선 올바를지도 모르겠지만 적어도 나는 남성을 좋아하게 되지 않는다. 성별은 분명히 관련이 있는 요소다."

(이노리, 『내 최애는 악역 영애』 1권, p.110에서 발췌)

성별과 관계없는 사랑이라는 문구도 결국은 동성애에 대한 긍정적인 편견이다. 여성 숭배와 여성 혐오가 동전의 양면이듯, 동성애에 대한 낭만화는 결과적으로 동성애자들을 억압하는 족쇄가 될 수밖에 없다. 긍정적이든 부정적이든 편견은 편견이니까. 이런 대사를 정면으로 내세우는 지점에서 또다시 백합 장르의 당사자성을 읽어낼 수 있다.

◆ 당사자성은 전가의 보도가 아니다

앞에서 실컷 당사자성 이야기를 했지만, 이것은 오로지 백합 장르만이 위대하다고 치켜세우기 위해서가 아니다. 하도 이것 때문에 시비를 걸어오는 사람들이 많아서 이렇게 지면을 할애한다. 백합 장르의 당사자성을 시시때때로 강조한 이유는 오직 하나뿐이다. 이 장르를 둘러싼 온갖 헛소리와 오해에 반박하기 위해서이다. 백합은 남성이 주로 보는 장르라는 말에 반박하려면 어떡해야 할까? 백합 작품은 여성이 주로 본다는 각종 설문조사를 내놓아야 한다. 백합과 레즈는 다르다는 주장에 대응하려면 어떻게 해야 할까? 실제 레즈비언이나 바이 여성이 백합 장르 향유층에 상당수 존재한다는 통계를 제시해야 한다. 혹은 백합 작품에서 여성 성소수자의 고민을 심도 있게 다룬다는 예시를 들어야 한다. 백합의 당사자성은 이런 일련의 과정을 통해서 자료를 모으고 장르의 계보를 추적하다 보니 자연스레 이끌어낸 결론이다.

물론 비교를 위해서 종종 BL은 이성애자 여성의 장르라는 명제를 언급하기는 했다. 이걸 가지고도 화를 내는 사람이 있더라. 제멋대로 머릿속에서 지어낸 '뇌피셜'이라나 뭐라나. 그럴 리가 있나. 이건 BL 향유층이 주류 집단이었던 익명 여초 커뮤니티에서 허구한 날 나왔던 이야기다. 임시대피소라고 들어는 보셨는지 모르겠다. 이곳은 2차 동인 BL과 1차 BL을 즐기는 사람들이 한데 모이는 곳이었다. 동인계가 커뮤니티 위주에서 트위터 위주로 바뀌기 전까지는 제법 유저 수도 많았다. 다시 말해서 BL이라는 장르의 경향을 파악하기에 가장 유용한 표본 집단이었던 셈이다. BL이 이성애자 여성의 장르라는 것은 여기서 숱하게 오갔던 이야기다.

이것을 결정적으로 드러낸 사건이 2019년 5월에 터졌다. 일명 '해울출판사 리디북스 사건'이다. 먼저 배경 설명을 잠깐 하자면 리디북스는 BL 웹소설을 다루는 플랫폼 중에서 최대 규모를 자랑하는 전자책 플랫폼이다. 해울출판사는 퀴어 문학, 그중에서도 동성애 문학을 주로 출판하던 곳이다. 그 출판사에서 유부남인 게이를 다루는 퀴어 소설을 리디북스 BL 신간란으로 잘못 분류해서 한바탕 난리가 났다. 이것 자체는 출판사의 잘못이다. BL의 주요 향유층이 이성애자 여성인데 그 사람들에게 유부남인 게이 이야기를 들이대 봤자 팔릴 리가. 당장 자기가 그 피해자가 될 수도 있으니 거리를 두기가 쉽지 않다. 어찌나 반발이 극심했는지 당시 트위터에서는 남성 동성애자에 대한 노골적인 혐오 발언마저 여기저기서 보였다. 결국 얼마 지나지 않아 리디북스 BL 카테고리에서 그 소설은 사라졌다.

그런데 이 출판사에서 출간된 레즈비언 소설이 저스툰(현재는 코미코)이라는 플랫폼의 GL 카테고리에 올라왔다. 모가님과 마모님이 쓰신 소설인데 이분들은 레즈비언 소설 연재 사이트인 '필라인'에서 활동하셨던 분들이다. 하지만 앞서 언급했던 사태와는 달리 그 누구도 항의하지 않았다. 또한 마모님은 단행본 『비쳐 보이는 그녀』를 제1회 백합제에서 판매하기도 했다. 동성애자 출판사의 작품을 BL 향유층은 거부했지만 백합 향유층은 무난히 받아들였다. 그러니 BL은 퀴어 당사자성이 없지만 GL/백합은 어느 정도 당사자성이 있다. 이렇게 이끌어낸 결론이다. 여기에 지나친 논리적 비약이 있다고는 생각하지 않는다.

게다가 당사자성은 어떤 대단한 가치라기보다는 그저 사실의 기술일 뿐이다. 백합 향유층 중에서 동성애자와 양성애자 여성이 차지하는 비율이 높다는 사실만으로, 혹은 작중에 여성 퀴어로서의 고민이 담긴다는 사실만으로 다른 장르에 비해서 우월하다고 생각하지도 않는다. 백합을 즐긴다고 해서 자동으로 여성 해방을 이룰 수는 없다. 국회에서 차별금지법과 생활동반자법이 제정되지도 않는다. 그저 여성 퀴어가 즐길 수 있는 서브컬처 장르가 하나 늘어날 뿐이다. 백합뿐만 아니라 모든 장르는 나름대로 의미를 지닌다. BL이 남성 동성애자의 당사자성이 없다고 하더라도 여성이 이끌어온 장르로서 분명히 가치가 있다. 그러니 제발 오해하지 마시라.

2부

◇◇◇◇◇◇◇

백합 장르의 작품 세계

◆ 본격적인 작품으로 들어가기 전에

어찌 보면 지루할 수도 있는 1부를 따라오느라 수고했다는 말씀을 드리고 싶다. 2부에서는 작품들을 주제별로 묶어서 각종 단상을 덧붙이는 식으로 서술하려 한다. 몇몇 작품을 제외하고서는 한국 플랫폼에서 검색만 하면 바로 구매해서 볼 수 있는 작품 위주로 소개할 것이다. 최대한 스포일러(미리니름)는 배제하겠지만 내용을 소개하는 이상 아예 피해갈 수는 없다. 결정적인 반전이나 결말에 대해서만 언급하지 않을 것이다. 그 지점은 미리 양해를 구한다.

또한 여러 가지 이유로 협의의 백합, 즉 백합 상업 작품 위주로 소개하게 될 것이다. 첫 번째 이유는 접근성이다. 지금은 포스타입 같은 플랫폼이 생기면서 동인지를 전자 발행하는 경우가 많아졌지만 그 이전에는 그렇지 않았다. 백합 동인지는 오로지 동인 행사 당일에만 구매할 수 있었다. 과거의 백합 동인지 중에서 소개하고 싶은 작품은 산더미처럼 많다. 하지만 이 글을 읽는 독자들이 그것을 구해서 읽을 수 있는 방법은 전무하다. 반면 상업 작품은 판권 계약이 만료되지 않는 이상 언제든지 구매해서 읽을 수 있다. 그러니 상업 작품을 우선할 수밖에 없다.

두 번째 이유는 2차 창작은 때로는 상업 작품 이상으로 취향이 갈리기 때문이다. 특히 커플링 관련 창작물은 더더욱 그렇다. 동인 중심의 사이트였던 임시대피소에서 전해져 내려오는 격언(?)이 있다.

"커플링은 종교전쟁이다."

이런 말이 왜 나왔을까? 커플링, 즉 두 여자 캐릭터를 로맨스로 엮는 행위는 기본적으로 2차 창작에서 나온다. 그런데 2차 창작은 1차 창작(오리지널 작품)과는 달리 원작의 빈틈을 채워 넣거나, 두 캐릭터의 관계성을 해석하는 식으로 수용자가 개입하는 범위가 상대적으로 넓다. 소위 캐릭터 해석이라고 하는데 이것이 취향의 정수나 다를 바가 없다. 그래서 팬덤에서는 이 캐릭터 해석을 둘러싸고 살벌한 알력 다툼이 벌어지는 경우가 흔하다. 굳이 예시를 들지 않아도 동인에 오래 몸을 담근 사람이라면 이게 무슨 뜻인지 바로 알아들을 것이다. 그런데 이 캐릭터 해석이 소위 공수(왼오)와 밀접한 관련이 있다.*

* 서브컬처를 잘 모르는 사람들을 위해 잠깐 배경 설명을 하자면 공수는 주로 커플링을 엮는 과정에서 부여하는 로맨스의 역할극이다. 성관계에서 주는 쪽/리드하는 쪽/삽입하는 쪽을 공이라고 하고, 받는 쪽/리드당하는 쪽/삽입받는 쪽을 수라고 한다. 동인계에서는 이것 때문에 분쟁이 일어나는 경우가 아주 흔하다.

몇몇 사람들이 백합 향유층은 전부 리버시블이고 평화주의자라고 헛소리를 해대는데, 경험에 비춰 보면 전혀 아니다. 2000년대 중반의 〈나노하〉 팬덤만 하더라도 페이트×나노하 파와 나노하×페이트 파는 사이가 좋지 않기로 유명했다. 백합도 결국은 서브컬처 장르이기 때문에 취향에 따라서 극심한 신경전이 오간다. 공수뿐만이 아니라 다른 캐릭터가 들어가는 커플링(흔히 타 커플링이라고 하는)에 대해서도 그다지 관대하지 않은 사람은 언제나 있었다. 그러니 2차 창작으로서의 백합 작품을 잘못 추천했다가는 오히려 비위만 상하게 할 수가 있다.

만약 동인 창작 백합 작품을 찾아보고 싶다면 포스타입에서 'GL'이나 '모두의 백합(혹은 다른 백합 온리전 이름)' 등으로 검색하면 된다. 일본어를 구사할 수 있다면 픽시브도 괜찮은 선택지다. 2차 창작으로서의 백합 작품도 마찬가지다. 본인이 좋아하는 작품이나 캐릭터, 혹은 커플링으로 포스타입에서 검색하면 된다. 여기서는 몇몇 작품만 간단하게 소개하고 넘어가도록 하겠다.

이을 작가님의 「바람을 베어내며」는 포스타입 유료 발행 작품이다. 연하공과 중년수의 조합이 기가 막힌데 전생으로부터 이어지는 둘의 인연이 가슴에 진하게 와닿는다.

보니 작가님의 「졸업생들」 역시 포스타입 유료 발행 작품이다. 20대나 30대 레즈비언이 아닌 50대 레즈비언의 이야기라 더욱 눈길이 갔다. 애초에 이 작품은 「중년 여여」라는 앤솔러지에 수록된 작품이었다. 따뜻하면서도 어딘지 시린 여운이 남는 작품이다.

「Brilliant Blue」도 포스타입 유료 발행 작품인데 오타로 인하여 「Brillant Blue」로 검색해야 나온다. 현대 영국을 배경으로 날라리인 브리트니와 모범생인 르네가 서로에게 이끌리는 이야기이다. 과거에 동인지로 보았던 작품인데 온라인으로 볼 수 있어 얼마나 반가운지 모른다. 만화와 소설이 번갈아 나온다.

◆ 여성향과 남성향이라는 개념이 왜 필요할까?

이미 1부에서 여성향이라는 개념을 몇 번 사용했지만, 본격적인 작품 소개로 들어가기 전에 다시 한 번 짚고 넘어가자. 여성향과 남성향은 주요 향유층의 성별에 따라서 굳어진 일종의 장르 문법, 내지는 표현 기법이다. 이건 굉장히 직관적인 개념이라 그냥 보시면 안다. 10년 전부터 임시대피소를 비롯한 서브컬처 커뮤니티에서 익숙하게 써오던 개념이기도 하다. 당시 일본의 동인지 판매 사이트인 토라노아나나 멜론북스 등지에서도 이 분류를 채택했다. 그런데도 블로그나 트위터에서 이 개념을 이용해서 논의를 전개하다 보면 항상 반박이 들어온다. 주로 분류 자체에 대한 비판이다. 심지어 여성향과 남성향은 존재하지 않는다는 선언까지 하는 사람도 있었다. 사람들이 오랫동안 써왔고, 지금도 여전히 쓰고 있는 개념을 본인이 마음에 들지 않는다고 함부로 없다고 선언할 수는 없다. 기본적으로 언어는 사회적인 약속이기 때문이다. 중학교 수업 시간에 배웠던 언어의 사회성을 떠올려 보자.

물론 그 비판 자체는 수긍할 만하다. 여성향과 남성향은 지나치게 이분법적인 분류이다. 사실 이 작품이 남성향인지 여성향인지 딱 잘라서 말하기 어려운 경우도 많다. 〈마이히메〉처럼 애니메이션 원작은 남성향인데도 여성 동인이 몰려들어 2차 창작 회지를 내는 경우도 흔하다. 하지만 서브컬처에서 어떤 개념이 폐기되지 않고 살아남은 데는 다 이유가 있다. 그 분류가 나름대로 유용하기 때문이다. 레진코믹스의 (이성 간) 로맨스란을 예시로 들어 보겠다. 똑같은 이성 간 로맨스라고 해도 순정 만화의 문법을 지닌 여성향과 남자 주인공을 중심으로 전개되는 남성향은 엄연히 다르다. 그런데 레진코믹스 로맨스란은 이것을 구분하지 않고 섞어 두었다. 그래서 순정만화를 위주로 보시던 지인이 애로사항을 겪었다. 본인은 여성향 위주로 보고 싶은데 일일이 찾아봐야 하니 불편하다고. 바로 여기서 사람들이 분류를 원하는 이유가 나온다. 모든 분류는 사람들의 욕구, 혹은 필요에 의해서 생겨나는 것이다. 카카오페이지나 리디북스 같은 플랫폼에서는 각종 해시태그를 자주 볼 수 있다. #연하공 #후회공 #선결혼후연애 등등. 이런 분류는 독자들이 원하는 작품을 바로 찾을 수 있게끔 돕는다. 여성향과 남성향 역시 비슷한 기능을 수행한다고 볼 수 있다.

또한 남성향이라고 명명하여 언제나 보편적인 기준이 되는 남성의 문화를 상대화할 수 있다. 일본 서브컬처를 다룬다는 책에서도 소년 만화 계열은 상세히 다루었지만, 정작 소녀 만화에 대한 언급은 거의 없었다. 그 책의 저자는 남성의 문화가 곧 보편적인 문화라는 성차별적인 관념을 지니고 있었다. 하지만 소년 만화를 일본의 '남성향' 서브컬처라고 명명하면 이야기가 달라진다. 소년만화는 더는 일본을 대표하는 서브컬처가 아니라 그 일부가 된다. 게다가 백합(순정만화나 BL도 마찬가지다)처럼 여성들이 주축이 되어 이끌어온 장르는 여성향이라는 분류를 통해 그것을 공고히 명시할 수 있다. 비록 여성의 장르라는 꼬리표가 붙는 그 순간부터 주류 사회는 그것을 폄하하고 지우려 들지만 말이다.

사실 그 어떤 분류도 완벽하지는 않다. 다름 아닌 언어의 분절성 때문이다. 자연에서 무지개는 연속적인 스펙트럼을 이루지만 우리는 일곱 개의 색깔로 그것을 나누어 구분한다. 그 일곱 가지 색깔은 결코 무지개를 완벽하게 설명하지 못한다. 서브컬처의 분류 또한 마찬가지이다. 항상 누락되고 들어맞지 않는 부분이 있지만, 그럼에도 불구하고 의의는 있다. 분류가 완벽하지 않다는 사실이 그것을 폐기할 근거가 된다고 생각하지도 않는다. 어쨌거나 여성향과 남성향이라는 분류는 지금도 활발하게 사용되는 개념이다. 더 나은 대체어를 찾을 수 있다면 자연스레 폐기될 것이다. 그때까지는 이 분류를 계속 사용하도록 하겠다.

◆ 여학생 백합, 폐쇄적인 여학교에서 남녀 공학으로

20세기 초 일본, 그리고 식민지 조선에는 여학교가 다수 설립되었다. 근대 공교육의 혜택을 입게 된 여학생들은 가정에서 벗어나 공적인 공간에서 서로 친밀한 관계를 형성했다. 물론 근대 이전에도 여자들 사이에 친밀감은 있었을 터이지만, 남자를 매개하지 않은 관계는 여성이 학교나 직장처럼 근대적인 공간에 진입하고서야 가능했다. 당시 여학생들에게는 크리스마스에 '동성연애' 상대에게 변치 않는 사랑이라는 메시지를 새긴 염동반지를 주고받는 것이 매우 일상적인 풍경이었다. 동성연애란 남성 지식인들이 사용하던 용어이고 여학생 당사자들은 'S언니' 'S동생'이라는 말을 주로 썼다. 이 S관계의 문화적 교본이 바로 S소설이다. 여학교에서 여학생들 사이의, 혹은 여교사와 제자 사이의 로맨스를 그려낸 요시야 노부코의 『꽃 이야기』가 그 대표적인 예로, 바로 백합 장르의 시초로 불리는 소녀 소설이다. 자연스럽게 백합 장르는 여학교라는 공간과 깊은 관련을 맺게 된다.

여학교를 배경으로 한 백합 작품은 공통적인 문법을 지닌다. 폐쇄된 여학생들만의 공간, 유치원부터 시작해서 고등학교까지 쭉 이어지는 에스컬레이터식 진학, 가톨릭계 미션 스쿨, 교원으로 등장하는 수녀들, 학생회를 중심으로 전개되는 이야기(혹은 주연 중 한 명이 학생회장), 상급생과 하급생 간의 배타적이고 돈독한 우애 등등. 또한 백합 장르는 소녀 만화와 소녀 소설의 계보를 따르기 때문에 일본 소녀 만화의 문법도 종종 나타난다. 이를테면 연극을 통해서 등장인물의 심리 묘사나 관계 변화를 암시하거나, 맥락 없이 배경에 꽃을 그려 넣는다. 일본 소녀 만화인 〈그 남자 그 여자의 사정〉에서 연극은 아리마와 유키노의 갈등이 증폭되는 중요한 전환점이다. 배경에 등장하는 꽃은 소녀 만화뿐만 아니라 BL 만화에서도 자주 보이는데, 여성향의 장르 문법이라고 보아도 무방할 것이다.

우선 그 유명한 『마리아 님이 보고 계셔』(이하 마리미테)부터 소개하도록 하겠다. 동성애자인 사토 세이가 「가시나무 숲」에서 등장하기는 하지만, 소설에 등장하는 여성들의 관계는 대부분 로맨스가 아니다. 상급생과 하급생의 깊은 유대 관계인 '쇠르(의자매)'를 통해서 맺어지는 이야기가 대다수를 차지한다. 당장 주인공인 후쿠자와 유미부터가 학생회의 일원인 오가사와라 사치코와 쇠르 관계를 맺는다. 과거 S문화의 여학생 당사자들이 'S언니', 'S동생'이라는 말을 썼던 것처럼 『마리미테』에서는 '언니'와 '여동생'이라는 말을 쓴다. 따지고 보면 이 쇠르 관계가 S문화의 유산인 셈이다.*

이런 상급생과 하급생의 관계라는 소재는 『마리미테』 이후로 수많은 작품에서 변주가 이루어졌다. "타이가 비뚤어졌어"는 오만 작품에서 오마주가 등장하다 못해 아예 백합 장르의 마스코트가 되었다. 이것을 아는 것과 모르는 것의 차이는 크다. 괜히 백합 장르의 고전으로 손꼽히는 것이 아니다. 일본 백합 작품을 즐겨 보는 사람이라면 꼭 한 번쯤은 『마리미테』를 읽어 보라고 권하고 싶다. 게다가 작품 자체의 완성도도 상당히 높기 때문에 한국 백합 작품만 보는 사람에게도 자신 있게 추천한다. 이 작품은 10대 여자아이들의 그 맹목적일 만치 순수한 감정을 잘 포착해 내며, 폐쇄적인 여학교라는 공간 안에서의 순도 높은 감정을 통해 인간관계에 대한 뛰어난 묘사도 보여 주고 있다. 사촌지간이자 쇠르인 요시노와 레이의 관계를 보면 의존과 보호는 동전의 양면이라는 사실이 선명하게 드러난다. 요시노는 선천적으로 심장병을 앓고 있어서 어렸을 때부터 레이가 보살펴 왔다. 얼핏 보면 요

* 정작 작가인 콘노 오유키는 S문화에 대해서 잘 몰랐던 것 같지만, 『마리미테』 자체가 동시대 소녀 소설의 영향을 짙게 받았다.

시노가 레이한테 의존하는 관계로 보인다. 하지만 실상은 레이 역시 요시노한테 깊이 의존했다. 레이는 요시노를 위해서 한때는 장래 희망을 의사로 정했다. 요시노와 싸운 후에는 온종일 일상생활조차 제대로 하지 못할 정도였다. 요시노는 그것을 간파하고 레이와 대등한 관계를 맺기 위해서 초강수를 둔다. 그것이 무엇인지는 직접 읽으면서 확인해 보시라.

『마리미테』의 에피소드 중 하나인 「레이니 블루」는 읽는 내내 너무 괴로웠던 이야기였다. 여학교 내에서 유미와 사치코가 사소한 오해 때문에 엇갈리는 과정은 보는 사람을 답답하게 한다. 유미를 숭배하다 끝내는 스토킹까지 저지른 후배도 있다. 유미의 여동생 후보였던 토코가 인간 불신에 걸려서 사방에서 고립되는 묘사는 처절하기까지 하다. 이 작품을 처음 읽었을 때는 도대체 토코가 왜 저러는지 알 수 없어서 눈엣가시처럼 여겼다. 하지만 이제는 안다. 한 번이라도 사람에게 깊게 상처받으면 토코처럼 방어주의자가 된다는 것을. 쫓아와 주기를 바라면서도 도망치고, 믿고 싶으면서도 의심하는 그 모순을 이 작품은 정확히 짚어낸다. 그 신뢰와 불신의 갈등이란 얼마나 고통스러운지. 제 손으로 모든 인연을 잘라내고 역설적으로 외로워하는 사람의 심정이 구구절절 묘사

돼 있어서 읽으면서 눈물이 났다. 유미는 자신을 지키기 위해서 온몸에 가시를 두른 토코의 여린 내면을 꿰뚫어 보았을 것이다. 유미 본인도 토코의 거절로 제법 상처받았을 터인데도 끝까지 토코를 포기하지 않았다. 기본적으로 그릇이 큰 사람이었기 때문에 토코를 받아들일 수 있었으리라.

하지만 10대 여성들이 맺는 관계에 대해서는 늘 편견이 따라붙는다. 어차피 졸업하면 남자와 결혼할 텐데 허무하다는 식이다. 과거 백합 커뮤니티인 위킥스에서도 『마리미테』의 인물들을 두고서 비슷한 감상이 나왔다. 주류 사회는 예나 지금이나 변하지 않았다. 늘 이들의 관계를 여학교 담장 안에만 가두어두려 한다. 식민지 조선에서도 그랬고 현대 한국에서도 마찬가지다. 식민지 조선에서는 두 여성이 경제적으로 자립하여 살아간다는 것은 거의 불가능했다. 대부분은 남성과 결혼하면서 관계가 끊겼으리라고 추측할 수 있다. 반면 현대 한국에서는 앞으로 존재할지도 모르는 이성과의 관계가 현재 존재하는 동성과의 관계보다 더 중요하다는 이성애 규범성이 훨씬 강하게 작동한다. 어느 쪽이든 여성들의 관계를 진지하게 여기지 않는다는 점에서는 마찬가지다.

이에 과거 식민지 조선에서는 S관계를 맺은 여성들이 낭만적인 동반 자살을 선택하는 경우가 많았다. 이 여성들은 서로의 신체 일부를 묶은 상태에서 자살을 감행했는데 이것은 내세로 이어지는 인연을 기약하는 문화적 상징이었다.* 죽음을 통해서라도 사랑을 이루고 싶었던 여성들의 염원이라고 할 만하다. 정확히는 일본에서 넘어온 문화라서 일본어로는 신쥬心中라고 하고 한국어로는 정사情死라고 한다. 『마리미테』에서도 그 흔적을 찾아볼 수 있다. 작품 속 에피소드인 「가시나무 숲」에 등장하는 세이는 시오리를 사랑하게 되면서 자신의 성적 지향에 대해서 고민한다. 『마리미테』에서 '동성애'라는 말이 대놓고 나오는 에피소드는 이것이 유일하다. 「가시나무 숲」의 결말에서 세이와 시오리가 동반자살을 할 수 있었다는 암시가 나온다. 마리미테가 S문화의 후예임을 염두에 두면 충분히 납득이 간다.

2000년대 중후반에 이르러 백합 장르는 소녀 소설과 소녀 만화에서 독립을 이루었다. 그간의 비극적인 결말을 탈피하고 두 여자가 행복하게 맺어지는 엔딩이 점점

* 박차민정, 『조선의 퀴어』, 현실문화, 2018, p.262~263.

늘어났다. 하지만 퀴어 섹슈얼리티에 대한 낙인은 여전해 '백합'과 '레즈'를 철저하게 구별해야 했다. 그 낙인으로 인한 억압은 작품의 등장인물에도 영향을 미쳤다. 백합 장르의 여학생들은 자기 감정을 솔직하게 인정하는 데 어려움을 겪었다. 자신이 느끼는 연정을 억지로 우정으로 은폐하려 한 것이다. 「속삭임」의 우시오는 한바탕 자해까지 하고 나서야 자신의 감정을 그대로 인정한다. 1부에서 언급했듯 이성애자 여성을 짝사랑하는 동성애자 여성의 서사도 이 시기에 자주 보였다. (이 소재는 워낙 인기가 많아 지금도 종종 보인다.) 대부분 우정마저 잃고 싶지 않아서 연정을 숨기고 계속해서 우정을 연기하려 든다. "너의 좋아해는 나의 좋아해와 다르다."는 독백을 애절하게 늘어놓으면서. 연정을 고백하는 순간부터 관계는 이전으로 돌아갈 수 없다. 우정을 잃을 위험도 클 뿐더러 상대가 동성애 혐오자라면 최악의 경우 아웃팅까지 당할 수 있다. 게다가 자신의 감정을 고스란히 인정하는 그 순간부터 성소수자라는 말이 지닌 무게를 고스란히 받아들여야 한다. 그야말로 진퇴양난인 셈이다. 〈마이히메〉의 시즈루나 『신무월의 무녀』의 치카네처럼 그 과정에서 돌아 버린 나머지 상대를 원망하고 강간하기도 한다.

이러한 정서는 게임 〈옥상의 백합령씨〉가 발간된 해

인 2012년까지도 굳건하게 이어졌다. 이를테면 메구미가 "너희들은 레즈비언이냐."는 유나의 질문에 "우리는 레즈가 아니라 S다."라고 한다든지, 유나의 친구인 백합 오타쿠 아노가 백합과 레즈는 엄연히 다르다고 주장하면서 타치나 네코 같은 퀴어 용어를 함부로 섞어 쓴다든지 하는 부분이 그렇다. 타치와 네코는 일본의 퀴어 용어인데 여기서는 부치와 펨으로 번역이 되었다. 이 게임의 한국어 패치가 생기면서 다른 분들의 감상을 종종 접하게 되었는데, 다들 이 지점을 동성애 혐오라고 정확하게 짚어서 상당히 놀랐다. 하기야 레즈비언이 추접스러운 존재도 아닌데 레즈라는 단어를 그렇게까지 펄쩍 뛰면서 부정할 이유가 어디에 있나. 레즈비언은 그저 여성을 사랑하는 여성일 뿐인데 말이다. 하지만 게임의 발매 당시였던 2012년에는 그런 지적은 거의 나오지 않았다. 과거에 쓴 감상문을 뒤져봐도 거기에 대한 언급은 없었다. 그때는 다들 웃고 지나갔을 거라고 본다. 아노는 그 당시 어디에서나 볼 수 있는 흔한 백합 오타쿠였으니까.

게다가 작중에서 선생님으로 등장하는 츠쿠요는 제자인 키리의 고백을 받고서 일시적인 감정일 뿐이라며 그녀를 타이른다. 앞서 말했듯이 10대 여성 퀴어가 맺는 관계에 따라붙는 유구한 혐오이자 편견이다. 어차피 대학에 가면 남자를 사귀겠지, 하는 식이다. 이러한 편견에 대해 "아니, 퀴어들이 맺는 관계는 안정적이고 영원하다."는 식으로 받아칠 필요는 없다. 그것은 또 다른 긍정적인 편견의 생산으로 이어질 수 있다. 이제는 이렇게 반문해야 한다. 일시적이라고 한들 뭐 어떤가? 인간의 삶이 유한하듯이 모든 관계에는 수명이 있다. 영원 따위는 어디에도 없다. 그 대단한 이성애 결혼조차도 언젠가는 이혼이나 사별로 끝이 난다. 그럼에도 불구하고 깊은 관계는 마음에 어떤 식으로든 흔적을 남긴다. 관계를 맺었다는 사실 그 자체가 하나의 의미인 셈이다. 〈옥상의 백합령씨〉는 작중에서 그 편견을 정면으로 반박한다. 츠쿠요는 일시적인 감정으로 취급했던 바로 그 감정을 진지하게 받아들여 키리와 사귀게 된다. 미유와 마츠리는 평생 함께하는 관계를 유지하기 위해서 노력하는 커플이다. 후일담인 드라마 CD에서 등장인물들은 대학에 진학해서도 계속 관계를 유지하고 있다. 주류 사회의 집요한 통제에도 불구하고 여학생들의 관계는 여학교라는 담장을 뛰어넘은 것이다. 『꽃 이야기』의 저자 요시야 노부코가 여성 연인인 몬마 치요와 평생 파트너 관계를 유지했듯이.*

* 참고로 두 사람이 가마쿠라에서 살던 집은 나중에 요시야 노부코 기념관이 되었다. 『푸른 꽃』의 작가인 시무라 타카코가 이곳에 가려다가 하필이면 휴관일이어서 가지 못했다는 에피소드가 있다.

그러다가 대략 2015년부터 백합과 레즈의 구별이 서서히 사라졌다. 굳이 성행위나 감정선의 유무로 백합과 레즈를 구별하기보다 두 여자의 깊은 관계를 그린다면 무엇이든 백합이라는 보다 넓은 정의가 자리 잡았다. 그리고 '신세대의 백합'이라 불리는 『이윽고 네가 된다』가 마침내 등장했다.

시무라 타카코의 『푸른 꽃』이 백합과 퀴어의 경계를 허물었다는 평가를 받았듯이, 『이윽고 네가 된다』도 초반부터 여성 퀴어가 느끼는 소외감을 구체적으로 다룬다. 우선 1권에 나오는 장면을 보자. 유우는 친구들에게 처음으로 나나미 토우코라는 여자 선배가 멋있다고 이야기한다. 친구들은 어이없다는 듯이 "에이, 남자 선배인 줄 알았네."라고 말하며 흘려듣는다. 유우는 친구들의 대화에서 극심한 소외감을 느낀다. 이때 유우가 느끼는 심리적 거리감이 실제로 물리적인 거리로 바뀌어 드러난다. 분명히 함께 모여앉아 도시락을 먹는데도 유우 혼자서만 저만치 떨어져 앉는 장면이 이어진다. 『이윽고 네가 된다』 특유의 섬세한 심리묘사가 빛을 발하는 순간이다.

사실 유우는 이전부터 자신이 친구들과는 무언가 다르다는 사실을 알고는 있었다. 드라마나 순정 만화가 묘사하는 사랑 이야기에 도통 공감하지 못했던 것이다. 유우는 가슴이 두근거리고 느닷없이 세상이 달라 보이는 감정이 대체 무엇인지, 왜 그 반짝거리는 세계에 자신은 공감할 수 없는지 고민한다. 모종의 계기로 나나미 토우코와 가까워지면서 유우는 대체 사랑이 무엇인지 탐구해 나간다. 일단 이 작품은 백합 장르에 속하기 때문에 결말에서 둘이 사랑에 빠지는 것은 기정사실이다. 이건 일종의 장르 문법이라서 스포일러라고 말하기도 힘들다. 그렇다면 초반의 유우는 왜 미디어가 그려내는 사랑 이야기에 이입하지 못했을까? 여기에는 두 가지 이유가 있다.

첫 번째 이유는 유우가 애초에 첫눈에 반하는 사랑을 하는 사람이 아니었기 때문이다. 소프트볼만 하더라도 유우는 처음에는 권유받아서 시작했지만 나중에는 주전 자리까지 따냈다. 사랑 또한 서서히 달아오르는 '뚝배기식 연정'이었다. 그러니 미디어에서 묘사되는 로맨스의 환상에 공감하지 못했던 것이다. 나나미는 초반에 유우의 동의를 받지 않고 기습 키스를 한다. 말이 좋아 기습 키스지 사실상 성희롱이다. 하지만 미디어에서는 저런 식의 키스를 로맨틱하게 포장하는 경우가 많다. 요새는 많이 사라졌지만 '벽쿵'처럼 폭력적인 상황까지도 로맨틱하게 연출하곤 했으니까. 유우는 그런 식의 로맨틱한 묘사에 공감하는 사람이 아니었고, 나나미의 키스에서 아무것도 느끼지 못했다.

두 번째 이유는 미디어에서 묘사하는 사랑 이야기의 태반이 이성 간 연애이기 때문이다. 1부에서도 이미 말했듯이, 조금이라도 여성 간의 감정이 연정에 가까워지면 주류 사회는 기를 쓰고 그것을 우정으로 환원하려 든다. 이러니 이성 간 로맨스는 주변에 참고할 만한 교본이 넘쳐나지만, 동성 간 로맨스는 그렇지 않다. 작가의 인터뷰를 읽어 보면 유우는 동성애자라기보다는 범성애자에 가까워 보이지만,* 기본적으로는 여성에게 더 끌리는 사람으로 보인다. 이성 간 사랑 이야기에 공감하지 못했다고 하더라도 충분히 이해가 간다.

유우는 로맨스 규범에 얽매일 필요가 없다는 사실을 아주 나중에서야 깨닫는다. 두 사람의 관계는 결국 두 사람이 만들어 나가기 나름이라는 사실도. 사랑의 형태는 천차만별이고 유우처럼 뒤늦게 달아오르는 형태도, 사야카처럼 첫눈에 상대의 외모에 반하는 형태도 전부 사

* "百合作品に対する想いを語る——電撃コミック『やがて君になる』作者突撃インタビュー!"
출처 https://dengekionline.com/elem/000/001/141/1141266

랑이라고. “사랑을 모르던 소녀가 사랑을 알아가는 이야기.” 이것은 『이윽고 네가 된다』 8권의 소개 문구이다. 달리 말하면 로맨스의 규범에 공감하지 못했던 소녀가 자신만의 로맨스를 찾아서 써 내려가는 이야기가 아닐까. 유우가 어떻게 자신만의 로맨스를 찾아가는지는 직접 읽으면서 확인해 보시기 바란다. 로맨스가 지닌 아주 핵심적인 규범 한 가지를 제 손으로 내려놓았다는 사실만 여기서 언급한다. 그 과정이 연극이라는 소재를 통해서 드러나는데, 앞서 말했듯이 이것은 일본 소녀 만화의 문법이다. 연극의 등장인물과 작중 등장인물의 심정이 어떻게 공명하는지 염두에 두면서 읽으면 재미있다.

이 연극을 둘러싸고 유우와 대립하는 사야카라는 캐릭터도 주목할 만하다. 정확히는 연극이라기보다는 나나미를 대하는 방식이지만 여기서는 생략하고 넘어간다. 사야카를 언급하고 넘어가는 이유는 이 캐릭터가 10대 여성 퀴어에 대한 편견을 정면으로 반박하기 때문이다. 사야카는 백합 장르에서 흔히 보이는 폐쇄적인 여학교 출신이다. 중학교 시절에 그곳에서 어느 선배와 눈이 맞아서 잠시 사귀지만, 그 선배는 어차피 여자들의 관계는 일시적이라는 말을 하면서 사야카를 찬다. 마음의 상처를 입은 사야카는 남녀 공학 고등학교로 진학하게 되는데 그곳에서 그 여자 선배와 재회한다. 그리고 그 선배 앞에서 대놓고 나나미의 팔짱을 끼며 자신은 여전히 여자를 좋아한다는 점을 과시한다. 이런 사야카를 두고서 '레즈비언에 가까운 인물'이라고 하는 독자도 있지만 그건 어불성설이다. 여학교를 벗어나 남녀 공학에 진학해서도 여전히 여자를 사랑하는 사야카는 그냥 레즈비언이다. 레즈비언이 무슨 호환과 마마인가? *이름을 말할 수 없는 그 정체성*인가? 아직도 레즈비언을 레즈비언으로 제대로 부르자는 '호레호즈' 운동을 해야 한다는 점이 참으로 개탄스럽다. 백합 장르를 좋아한다는 이유로 언제까지 홍길동이 되어야 하는지 모르겠다.

심지어 사야카는 안정적인 관계를 유지하는 성인 여성 간 커플을 알아보고 연애 상담까지 받으러 간다. 이 부분만 놓고 보면 퀴어 영화의 문법과 그리 다르지도 않다. 퀴어 영화인 〈캐롤〉에도 비슷한 장면이 있기 때문이다. 캐롤에서도 테레즈가 다른 레즈비언들을 알아보고 눈짓을 주고받는 장면이 등장한다. 애초에 성인 여성들을 조연으로 등장시킨 이유가 무엇이겠는가. 학교를 졸업하고 성인이 되어서도 여전히 관계를 이어갈 수 있다는 점을 명시하기 위해서이다. 사야카는 그 연애 상담을 통해서 진심으로 안도했을 것이다. 자신보다 앞서간 사람들의 발자취를 보며 마침내 미래를 그릴 수 있게 되었으니까.

2020년대에 들어서는 백합 장르의 등장인물들이 처음부터 감정을 숨기지 않는다. 지나치게 제 감정과 욕망에 솔직해서 가끔 이래도 되나 싶을 정도이다. 이를테면 『割り切った関係ですから。』(『선을 그은 관계니까』. 한국에 정식 발간된 작품은 아니다)에 등장하는 인물인 교사 세이는 대놓고 자기는 여자를 좋아한다고 말하며 미성년자인 고등학생한테 섹스 파트너 제의를 한다. 그걸 엿듣던 다른 여학생은 좀 숨기라고 대놓고 면박을 준다. 세이는 고등학교 시절부터 요루라는 친구를 짝사랑했는데 자신의 감정이 우정이 아닌 연정이라고 상대한테 진작 밝혔다. 우정으로 은폐한다는 선택지 자체가 없는 셈이다.

백합 장르의 클리셰였던 "너의 좋아해와 나의 좋아해는 다르다." 역시 갈수록 다양한 변형이 등장한다. 원래는 이성애자인 친구를 짝사랑하는 동성애자 여성이 내뱉는 독백이었지만, 『속삭이듯 사랑을 노래하다』에서는 고백을 받은 쪽인 히마리가 이런 독백을 한다. 1권부터 자신의 감정을 솔직하게 고백하는 요리 선배가 특히 인상적이었다. 이 작품은 로맨스가 중심 소재이기 때문에 결국 둘은 사랑으로 맺어지겠지만, 그 과정을 지켜보는 재미가 쏠쏠하다. 사실 히마리의 감정이 사랑이라는 암시는 벌써 작중에서 나왔다. 독자들은 뻔히 다 아는데 본인들만 모르는 케이스다. 2권에서는 요리 선배를 짝사랑하는 아키 선배까지 삼각관계에 가담한다. 이제는 '딱히 이성애자도 아닌 친구를 짝사랑하는 동(양)성애자 여성'의 이야기가 종종 백합 장르에 등장하게 된 것이다.

또한 최신작에서는 여학교가 아닌 남녀 공학을 배경으로 하는 작품이 점점 늘어났다. 『이윽고 네가 된다』의 마키처럼 남성이 비교적 중요한 조연으로 등장하기도 하고, 「나팔꽃과 카세 씨」나 『속삭이듯 사랑을 노래하다』처럼 일종의 정물로 배경에 그려지기도 한다. 이 정물로서의 남성은 결국 백합 장르의 대전제인 '여성을 사랑하는 여성'을 돋보이게 하기 위한 장치에 지나지 않는다. 한 여성이 남성이라는 선택지가 있건 말건 결국 여성을 선택한다는 점을 드러내는 것이다. 여자들의 사랑 이야기를 그리는 데 있어 더는 폐쇄적인 여자들만의 공간인 여학교를 상정할 필요는 없다. 현실에서 살아가는 동성애자와 양성애자 여성은 남성의 존재 여부와 상관없이 여성을 선택하고 사랑하니까. 백합 장르의 등장인물들 역시 마찬가지다. 아무리 잘생기고 멋진 남자가 있어도 걷어차고 자신이 사랑하는 여성을 찾아간다. 심지어 『신무월의 무녀』의 히메코는 준수한 남성인 소마 대신 자신을 강간한 여성인 치카네를 선택했다. 이것이 백합이라는 장르의 유구한 문법이다. 몇몇 이성애자들은 이것조차 받아들이기 힘겨워하는 듯하지만.

여담이지만 최근에는 왜 『마리미테』의 패러디만 나오고 정작 유사한 작품은 나오지 않느냐는 의문이 가끔 여기저기서 보인다. 대표적인 예시로는 『나의 백합은 일입니다!』를 들 수 있다. 『마리미테』는 기본적으로 백합 장르가 소녀 소설과 소녀 만화에서 완전히 독립하기 이전의 과도기적인 작품이다. 작중에서 여성 간 로맨스와 성애는 (사토 세이를 제외하면) 어디까지나 암시에 그친다. 그만큼 당시 백합 장르에서는 이질적인 작품이었다. 『마리미테』를 백합 장르에 포함시키기 위해서 기존 장르의 정의까지 넓혀야 했을 정도이다. 게다가 『마리미테』 이후의 백합 작품은 점점 여성 간 로맨스와 성애를 명시하는 방향으로 발전했다. 설령 마리미테처럼 폐쇄적인 여학교를 배경으로 한다고 하더라도 〈FLOWERS〉* 나 『저 아이에게 키스와 흰 백합꽃을』처럼 작중 등장인물들은 그 안에서 연애를 한다. 당연히 비슷한 작품이 나오기가 힘들다.

* 일본에서 발매된 비주얼 노벨 게임. 현재 시점에서(2022년 4월) 한국어 패치는 없다.

물론 그 명맥이 아예 끊긴 것은 아니라서 간간이 『고치를 두르다』 같은 작품이 나오기는 하지만 말이다.

◆ 한국의 여학생 백합은 언제나 '소녀들의 전쟁'

웹소설 연재 사이트인 조아라(joara.com)에서는 "한국형 판타지란 과연 무엇인가"를 두고 수없이 토론이 벌어졌다. 여기에 대해 어느 작가가 "한국인이 창작하면 그것이 곧 한국형 판타지"라고 응수하는 광경을 본 적이 있다. 그 말은 백합 장르에도 고스란히 적용할 수 있다. 한국인 창작자의 손길을 거치는 순간부터 한국적인 무언가가 작품에 녹아든다. 한마디로 K-백합이 된다. 이를테면 웹툰《모란과 도화의 계절》이 그렇다. 이 작품은 일제 강점기 여학교를 배경으로 한다. 당시 조선에서도 요시야 노부코의 S문학이 유행했기에, 내심 S관계를 맺은 여학생들의 이야기를 볼 수 있으리라 기대했다. 하지만 막상 뚜껑을 열어 보니 경성을 배경으로 한 '소녀들의 전쟁'이었다. 한 소녀의 10년에 걸친 집착이 소름 끼칠 만큼 자세히 묘사된다. 게다가 이 집착은 두 소녀의 권력 격차와 맞물리기 때문에 더더욱 숨이 막힌다. 로맨스 장르에서는 대부분 집착에다 로맨스라는 당의정을 씌우지만, 이 작품에서는 집착이 지니는 폭력을 날것 그대로 보여 준다. 등장인물의 표정 하나하나에서 광기가 느껴질 지경이다.

《나의 침묵에》 역시 비슷한 색채를 지닌 웹툰이다. 여기서는 현대의 여자 고등학교를 배경으로 이성애자 여성이 퀴어 여성에게 휘두르는 폭력을 생생하게 그려낸다. 장르 분류는 GL이지만 두 여자의 로맨스가 중심 소재는 아니다. 오히려 인간관계의 오해를 둘러싼 이야기가 작중 대부분을 차지한다. 고등학교 시절의 회상 장면을 보면 주인공인 지인이 왜 그리도 사람들에게 벽을 두르게 되었는지 알 수 있다. 여자아이들 그룹 사이에서 알게 모르게 존재하는 서열과 권력 다툼이 참으로 생생하게 묘사된다. 보는 내내 괴로워서 진이 빠질 정도였다. 왜 지인이 한동안 인간 불신에 빠져 지냈는지 충분히 이해가 간다. 그럼에도 불구하고 결국은 정직이 최선이라는 것까지도. 감정 소모가 극심한 이야기지만 그만큼 여운은 진하게 남는다. 심호흡을 하고서 보시기 바란다.

『독고솜에게 반하면』은 엄밀히 말하면 청소년 문학이라 GL/백합 카테고리의 작품은 아니다. 하지만 충분히 백합이라고 볼 수 있어 같이 소개한다. 우선 표지를 보자. 자고로 백합 애호가라면 표지 감별에 능통해야 하는 법.* 책상에 앉은 소녀를 다른 소녀가 곁눈질로 훔쳐보고 있다. 시선이 마주치지 않으니 짝사랑, 혹은 일방통행인 감정이 아닐까? 교실 뒷문에 옹기종기 모여 선 여자아이들은 적대적인 눈길로 소녀를 노려보고 있다. 이것만으로도 대략적인 갈등 구조를 짐작할 수 있다. 이 작품 역시 '소녀들의 전쟁'**에서 크게 벗어나지 않으리라는 사실을.

초반부는 마녀 독고솜과 탐정 서율무의 간질간질한 감정이 주로 묘사된다. 독고솜은 "오로지 너한테만 신경 써."라고 말하고 서율무는 그 말을 듣고서 기분이 좋아진다. 손을 잡으니 가슴이 두근거리고, 몸이 (물리적으로) 두둥실 떠오르며 기분이 솜사탕처럼 간질거린다. 율무는 독고솜네 집으로 놀러 가기 위해 한껏 차려입고 나선다. 그야말로 데이트가 따로 없다. 작중에서는 친구라고 하지만 이것은 전형적인 로맨스의 도입부가 아닌가. 둘이서 소소한 사건을 해결하며 사이가 깊어지는 전개를 잠

* "동인지 표지에서 여자끼리 마주 보면 백합이고, 여자 둘이 카메라를 보고 있으면 남자 난입이다." 트위터에서는 이 말이 일종의 밈처럼 쓰이지만, 원래는 백합 커뮤니티인 아니메위키스에서 남자가 난입하는 3P 동인지와 백합 동인지를 감별하기 위한 비법으로서 전수되었다.

** 소녀들의 공격성에 대해서 다루는 책이다. 현재는 『소녀들의 심리학』이라는 제목으로 재출간되었다.

시나마 기대했다. 둘의 동급생인 은영미가 하굣길에 무차별 폭행을 당하기 전까지는 말이다. 역시 K-백합은 어쩔 수가 없었다. 게다가 영미를 돕기 위해서 모은 불우이웃 성금을 누군가가 훔치면서 사태는 더욱 극적으로 치닫는다. 율무는 탐정으로서 이 사건을 해결하기 위해 본격적으로 나선다.

율무는 탐정이라는 이름에 걸맞게 사건을 멋지게 해결한다. 하지만 그 원동력은 트릭을 간파하는 날카로운 추리력이 아니었다. 반 아이들에 대한 따뜻한 관심이었다. 인간의 선량함이 승리하는 세계관은 참으로 다정하게 느껴진다. 악역으로 등장하는 단태희는 원래 율무를 무시했지만, 그 사실을 알고서 율무를 달리 보게 된다. 자신은 심복이었던 박선희가 무슨 생각을 하는지도 몰랐는데 율무는 정확히 파악하고 있었으니까. 사실 이 단태희도 마냥 미워할 수만은 없는 아이이다. 어렸을 때부터 호전적이고 주먹질을 좋아했지만, 여자아이이기에 얌전하게 굴라는 말을 들어야 했다. 남자아이였다면 분명히 골목대장으로 자랐을 터인데도. 게다가 손이 많이 가는 오빠 때문에 언제나 엄마에게 뒷전이었다. 태희가 여왕으로 군림하며 반 아이들을 조종한 이유도 따지고 보면 엄마의 가르침 때문이었다. 괜히 안쓰러워서 안아 주고 싶다.

결국 우리는 타인에 대해 잘 모른다. 그러면서도 함부로 남을 단정 짓고 친해질 기회를 포기한다. 누구한테나 각자의 사정이 있는데도 불구하고. 그런 시선을 걷어내고서 다정한 마음으로 타인을 대하면 전혀 다른 면모가 눈에 들어올지도 모른다. 그것은 때로는 한 사람을 구원하기도 한다. 율무의 고모가 친구의 따뜻한 마음씨 덕분에 학대에서 벗어났던 것처럼.

《관계지침》이라는 웹툰은 앞서 소개한 작품보다는 로맨틱 코미디의 색채가 짙다. 물론 이 작품도 결국 K-백합을 피해 갈 수는 없었는지 작중에서 진세연이 친구들한테 따돌림을 당하는 장면이 나온다. 원래는 친하게 지내던 친구들이었지만 세연이 인스타에서 인기를 얻으면서 그렇게 되었다. 그래도 전반적으로는 소꿉친구인 명인과 지원의 간질간질하고 때로는 속 터지는 로맨스가 줄거리의 대부분을 차지한다. 어느 날, 지원은 느닷없이 소꿉친구인 명인과 키스한다. 지원은 이게 도대체 무슨 의미인지 몰라서 어안이 벙벙하다. 하지만 명인은 그 뒤로 언제 그랬냐는 듯이 시치미를 뗀다. 지원은 내심 약이 오르지만 어떻게 해서든 관계를 진전시키려 애쓴다.

작중에서 명인은 독백한다. 여자들 간의 신체적 접촉

은 이성과는 다른 기준이 적용된다고. 이것은 여성 동성애자의 비가시화와도 밀접한 관련이 있다. 결국 레즈비언이 존재하지 않는다고 여기기 때문에 친구끼리 손을 잡거나 껴안아도, 심지어 무릎 위에 앉아도 우정으로 치부하고 넘어간다. 하지만 키스는 다르다. 아주 대표적인 성애의 행위이다. 물론 극성 동성애 혐오자는 그것조차 우정으로 넘겨 버리지만, 대부분은 그때부터 주류 사회의 극심한 검열과 억압이 쏟아진다. 초반부의 지원은 본인이 여자를 좋아할 수 있다고는 전혀 생각하지 못했다. 실제로도 숱하게 남자 친구를 사귀었다. 하지만 명인과의 키스 덕분에 그 이후로는 사랑과 우정의 아슬아슬한 줄타기가 이어진다.

소꿉친구. 어렸을 때부터 줄곧 함께했기에 너무나도 익숙한 사이다. 그래서 둘은 서로를 잘 안다고 착각한다. 대화는 언제나 겉돌고 관계는 진전이 더디다. 명인은 지원에게 연정을 품지만 그것을 말로 잘 표현하지 못한다. 원래 혼자서 끙끙 앓는 성격이기도 하고. 지원은 여자끼리 연애할 수 있다는 가능성을 상상하지 못한다. 감정은 이미 자라났지만 본인이 자각하지 못하는 상태이다. 그렇게 사소한 엇갈림이 쌓이는 가운데 둘은 신나게 키스만 한다. 15금이라는 심의의 한계 안에서 최선을 다해 성적 긴장감을 표현한 작가님의 노력이 엿보인다. 서툴러서 서로 헛발질하면서도 둘은 어떻게든 사랑을 키워간다. 청춘 백합물 특유의 풋풋함을 좋아한다면 과감하게 추천한다.

여담이지만 작중에서 서브 커플로 등장하는 세연과 주은의 이야기도 완성도가 훌륭하다. 특히 세연이 꼭 연애 관계가 아니더라도 친밀한 관계는 나름대로 가치가 있다는 사실을 깨닫는 장면이 인상적이었다. 세연은 오로지 연애 관계를 통해서만 기댈 대상을 찾을 수 있다고 믿었지만, 바로 그 믿음 때문에 학대적인 관계에서 벗어나지 못했다. 외전에서는 어렸던 세연이 훌쩍 자라서 저돌적인 대시로 주은의 마음을 마구 흔들어 놓는다. 작중에 흘러넘치는 성적 긴장감은 15금이라는 심의의 틀을 아득하게 초월한다. 꼭 보시기 바란다.

◆ 찬란하게 빛나는 소녀의 이미지 -<SIMOUN>부터 <러브 라이브>까지

일본 서브컬처를 자주 접하다 보면 종종 '소녀 이미지'

가 등장한다. 등장인물들이 대부분 여성인 백합 장르에서도 마찬가지다. 소녀 이미지는 백합 장르의 시초격인 요시야 노부코의 『꽃 이야기』부터 그 유명한 『마리아님이 보고 계셔』(마리미테)를 거쳐 〈SIMOUN〉으로 이어졌다. 최근에는 〈러브 라이브〉나 〈뱅드림〉 같은 아이돌물로 많이 계승되었다. 그 소녀 이미지란 대체 무엇일까. 소녀는 현실과 결코 타협하지 않는 고집을 지녔다. 순수하기 그지없는 감정에 때로는 흔들리며 불안해한다. 그러면서도 뒤를 돌아보지 않고 오로지 앞으로 나아간다. 더없이 찬란하게 빛나다가 결국은 소진된다. 〈러브 라이브〉나 〈소녀 가극 레뷰 스타라이트〉(이하 레뷰스타)에서 끊임없이 등장하는 '반짝임'을 떠올리면 이해하기 쉬울 것이다.

〈SIMOUN〉이라는 애니메이션에서 등장하는 소녀들도 마찬가지이다. 이 세계에서는 모든 사람이 성별을 직접 선택할 수 있다. 이곳에서 사람은 일단 여성으로 태어나며 16세가 지나면 '샘'으로 가서 여성과 남성, 둘 중 하나의 성별을 선택해야 한다. 여기까지만 읽으면 진지하게 성별 정체성이나 고정된 성역할을 다루는 애니메이션이라는 생각이 든다. 하지만 그것은 이 작품의 중심 소재가 아니다. 이 작품에서 성별은 돌이킬 수 없는 선택의 은유일 뿐이다. 작중에 빈번하게 등장하는 단어인 소녀도 어린 여성이라는 본래의 뜻보다는 어른들은 이미 상실한 어떤 순수의 원형에 가깝다. 즉, '소녀 이미지'에 등장하는 소녀라고 볼 수 있다. 〈SIMOUN〉은 소녀들의 갈등과 불안과 사랑과 우정을 잔잔하게, 때로는 격렬하게 그려낸다. 작중에서 벌어지는 전쟁조차도 서사의 기능보다는 소녀들의 불안정한 감정을 극대화하기 위한 일종의 장치이다.

아엘과 네비릴의 로맨스도 전체적인 줄거리에서 중요한 비중을 차지하지만, 기본적으로 이 작품은 소녀들의 흔들림이 지어내는 군상극에 가깝다. 게다가 2000년대 중반에 나온 작품답게 자극적인 장면도 상당히 많다. 자매 간의 근친상간도 있고, 자기 몸으로 로비를 하려는 장면도 있고, 짝사랑하다 돌아 버린 나머지 친구를 강간하려다 미수에 그치는 장면도 있다. 파라이에타를 생각하면 아직도 눈물이 난다. 그 모든 사건이 결국은 소녀 이미지로 수렴하면서 이야기는 결말을 맞이한다. 그 여운이 어찌나 진했던지 아직도 그 기억이 생생하다. 이건 정말 직접 보셔야만 안다. 부록에서 비리비리로 보는 방법을 소개할 것이다. 약간의 번거로움을 감수하고서라도 볼 만한 가치가 충분하다.

그리고 〈러브 라이브〉가 있다. 최근의 백합 장르를 이야기하면서 빼놓을 수 없는 작품이 〈러브 라이브〉와 〈뱅드림〉이다. 〈뱅드림〉은 스토리를 읽다가 도중하차했기 때문에 여기서는 〈러브 라이브〉만 소개한다. 절대 〈뱅드림〉이 중요하지 않아서가 아니다. 편의상 작품이라고 썼지만, 엄밀히 따지자면 〈러브 라이브〉는 일종의 프로젝트라서 게임, 코믹스, 애니메이션, 라이브 무대 등 다양한 미디어 믹스가 이루어진다. 특히 성우들이 실제로 캐릭터를 연기하면서 무대에서 라이브를 한다는 점이 인상적이다. 〈러브 라이브〉 공식 매체에서는 가끔 무료로 공연 동영상을 풀어 준다. 한번은 호기심에 이끌려서 아쿠아의 라이브를 본 적이 있는데 그야말로 압도적이었다. 이전까지 성우란 그저 목소리를 연기하는 사람이었다. 하지만 〈러브 라이브〉 공연에서는 성우와 캐릭터가 하나가 되어서 캐릭터를 현실에 구현했다. 2D와 2.5D의 경계가 허물어진 것이다. 소위 '성캐일치'라고 하는 현상이다. 여기에 대해서는 사람마다 호불호가 갈리는 편이지만, 어쨌거나 기존 패러다임의 전환이라는 소리까지 나올 정도로 혁신적인 시도였다. 실제로 〈러브 라이브〉 이후 일본에서는 각종 프로젝트 사업이 이어지고 있으니 말이다. 게다가 굳이 라이브를 보지 않더라도 애니메이션만으로도 충분히 즐길 수 있다. 여기서는 〈러브 라이브! 선샤인!!〉(이하 선샤인)과 〈러브 라이브! 니지가사키 학원 스쿨 아이돌 동호회〉(이하 니지동)를 바탕으로 소개한다. 나머지 시리즈가 중요하지 않아서가 아니라 단순히 끝까지 본 시리즈가 그것뿐이기 때문이다. 요새 집중력이 떨어져서 1쿨(13화)짜리 애니메이션조차 몰아 보기가 너무 힘들다.

몇몇 사람이 〈러브 라이브〉는 남성향이 아니냐며 걱정하던데 정작 애니를 보면 단순히 남성향이라고 단정 짓기는 힘들다. 여성 시청자의 비율도 대략 40퍼센트 정도라서 결코 낮지 않다. 게다가 여성향과 남성향은 일종의 장르 문법이라서 시청자의 성비보다는 작중에서 표현하는 방식을 더 눈여겨보아야 한다. 〈선샤인〉을 편의상 같은 회사에서 제작한 〈마이히메〉와 비교해 보자. 〈마이히메〉는 이성 간 로맨스가 스토리에서 상당히 중요한 축을 차지하지만, 〈선샤인〉은 그렇지 않다. 애초에 남자 캐릭터라고는 눈을 씻고 찾아봐도 찾기가 힘들다. 대부분의 남성향 매체에서는 남자 주인공에게 중요한 액션을 몰아주는데 〈선샤인〉은 여기서 크게 벗어나 있다. 작중 스쿨 아이돌을 응원하거나 공연을 보러 오는 이들은 대부분 여성으로 그려진다. 이것은 여성 시청자가 자신을 동일시할 수 있는 장치라고 보아야 한다. 또한 〈마이히메〉는 남성 시청자를 위한 서비스 장면이 종종 등장하지만, 〈선샤인〉은 그런 장면이 비교적 적은 편이다. 작품 내적으로 보더라도 〈선샤인〉은 평범한 여자아이가 스쿨 아이돌 활동을 통해서 자신의 꿈을 찾아가고 동료들과 함께하며 성장하는 이야기이다. 소녀 성장물이자 청춘 부활동물로도 충분히 읽을 수 있다. 그리고 또 하나, '러브 라이브'에서 우승하기 위해서는 지역 예선을 통과하고 학교별로 대항해야 한다. 어디서 많이 본 구도라는 생각이 들지 않는가? 바로 스포츠물이다. 실제로 '러브 라이브' 대신 일본의 전국 대회인 '코시엔'이나 '인터하이'를 대입해도 얼추 들어맞는다. 〈선샤인〉에서는 세인트 스노우라는 라이벌 그룹이 등장하는데, 주인공이 속한 그룹인 아쿠아는 이들과의 경쟁을 통해 성장해 나간다. 아주 전형적인 스포츠물의 문법이다. 구구절절 길게 썼지만 요약하자면 남성뿐만이 아니라 남녀노소 누구나 볼 수 있는 이야기다. 걱정하지 마시고 일단 가벼운 마음으로 애니메이션에 도전해 보시기 바란다.

〈선샤인〉은 특히 실패를 어떻게 받아들여야 하는지 비중 있게 다루고 있다. 꼭 스쿨 아이돌이 아니더라도 살면서 타인의 평가는 피해 갈 수가 없다. 그리고 평가가 존재하는 이상 반드시 실패도 따른다. 거기에 지나치게 얽매이게 되면 초조함에 사로잡히고, 결국은 본연의 즐거움을 잊기 마련이다. 치카는 그것을 알고서 자유롭게 달려 나가자고 말한다. 설령 평가에서 아예 자유로워질 수는 없더라도, 지금 이 순간을 마음껏 즐기자고. 작품 속에서는 “제로에서 1까지”라는 말이 자주 등장한다. 제로(0)만 아니라면 의미는 있다. 설령 결과가 0.0001에 지나지 않는다고 하더라도, 아무것도 하지 않는 것과는 비교도 되지 않는다. 사실 세상사는 노력이 보답받는 일이 오히려 드물다. 상패의 개수는 이미 정해져 있고, 그걸 손에 넣으려는 사람들은 언제나 넘쳐난다. 아쿠아는 그 허탈함과 무의미함을 견디면서 마지막까지 빛나고 싶다는 마음을 관철한다. 이 작품은 ‘러브 라이브’에 한정된 이야기가 아니라 모든 실패한 시도에 관한 이야기라는 생각이 들었다. 결과를 내지 못하면 물론 심정은 참담하지만, 그래도 우리가 이 세상에 살다 갔다는 흔적은 남는다. 그 자체로도 분명히 의미가 있다고 〈선샤인〉은 우리에게 위로를 건넨다. 더없이 다정한 이야기다.

〈니지동〉은 여러모로 새로운 시도가 엿보이는 작품이다. 그전까지는 9명이 하나의 팀으로 스쿨 아이돌 활동을 했지만, 여기서는 9명이 솔로 아이돌로서 개별적으로 활동한다(1기 기준). 엔딩에서 배경으로 그려지는 무지개는 다양성의 상징이다. 등장인물들 역시 서로가 다를 수밖에 없다는 점을 인정한다. 그들은 때로는 동료로서 지지하고, 때로는 라이벌로서 경쟁하며 성장해 나간다. 주인공인 타카사키 유우는 그들을 지켜보는 관객이자 매니저 역할이다. 작중 라이브 연출도 한결 깔끔해져서 보기가 편했다.

10화부터는 유우의 소꿉친구인 아유무의 심리를 집중적으로 조명하면서 작중에 긴장감이 감돈다. 보는 내내 〈그 남자 그 여자의 사정〉이 떠올랐다. 아유무가 유우에게 느끼는 질투와 소유욕이 아리마의 그것과 과연 무엇이 다를까. 애초에 질투와 소유욕은 로맨스 작품에서 아주 흔하게 묘사되는 감정이다. 심지어 갈등 구조마저 거의 비슷하다. 보다 넓은 세계로 나아가려는 사람과 둘만의 세계에 머무르려는 사람. 그런데도 유우와 아유무가 동성 간이라는 이유만으로 몇몇 편협한 이들은 이 감정을 우정으로 제한하려 든다. 〈니지동〉은 좋아하는 마음을 억누르지 말고 있는 그대로 자기 자신을 표현하자는 메시지를 전하는 작품이다. 그 좋아하는 마음이 또래 여자아이를 향하면 안 되는가? 1부에서도 강조했지만, 동성 간의 사랑은 성애의 표현보다는 긴장감을 기준으로 읽어야 한다고 외치는 이유가 이것이다. 어떻게든 그 감정을 지워내려는 주류 사회의 동성애 혐오에 맞서기 위해서

다. 엔딩 일러스트에서 아유무는 유우와 손깍지를 끼고 있다. 적어도 아유무는 확실히 유우를 사랑한다. 주류 사회가 뭐라고 지껄이든지 간에.

다음 소개 작품은 〈소녀☆가극 레뷰 스타라이트〉(이하 레뷰스타)이다. 이 애니메이션은 도대체 무슨 장르인가? 처음 이 작품을 보았을 때 들었던 의문이다. 아이돌물인가, 그도 아니라면 뮤지컬 애니인가? 어찌 보면 『로젠메이든』 같은 미소녀 이능 배틀물처럼 보이기도 한다. 〈소녀혁명 우테나〉에서 영향을 받은 부분도 군데군데 보인다. 주인공인 아이죠 카렌이 세이쇼 음악학교에서 연기와 노래와 춤을 배우는 일상적인 장면이 이어지다가 느닷없이 지하 극장에서 상대방과 결투하는 비현실적인 장면이 펼쳐진다. 상대방의 브로치(정확히는 겉옷이지만)를 떨어뜨리면 결투에서 승리하는 방식도 우테나와 흡사하다. 작중에 등장하는 인물인 텐도 마야는 우테나의 주인공인 텐죠 우테나와 불세출의 연기 천재인 기타지마 마야의 오마주라는 설이 유력하다. (기타지마 마야는 『유리가면』의 주인공) 등장인물들이 서로 결투를 벌이는 이유는 기린이 주최하는 오디션에 참가했기 때문이다. 아프리카 초원에 사는 그 기린이 맞다. 이쯤 되면 이게 도대체 무슨 소리인지 이해하기 힘들 것이다. 그만큼 〈레뷰스타〉는 비유와 상징이

자주 등장하는 작품이다. 다시 말해 비교적 해석의 여지를 넓게 열어 두는 작품이다. 애초에 학교의 지하에 기린이 살고 있다는 사실을 곧이곧대로 받아들이면 안 된다. 기린이 무엇을 상징하는지 시청자는 작품 속에서 읽어내야 한다. 결말 부분에 대략적인 해답이 나오니 직접 보시기를 권한다.

여기서 등장인물들이 벌이는 결투는 일종의 연기 대결인데, 작중에서는 '레뷰'라고 부른다. 상승과 하강의 이미지, 조명을 통한 승패의 암시, 등장인물의 내면 풍경이 무대를 통해서 절묘하게 표현되는데 보면 볼수록 화려한 무대 연출이 돋보인다. 뮤지컬의 한 장면이라고 해도 그리 틀린 말은 아니다. 춤추고 노래하며 서로 빼앗는 무대 소녀들을 통해서 앞서 언급한 소녀 이미지가 고스란히 구현된다. 무대 소녀는 언제나 무대에서 최대한 반짝이고자 하는 존재이므로. 그러면서도 그 레뷰에 녹아든 감정 자체는 굉장히 현실적이고 가슴에 와닿는다. 무대 소녀의 극한을 추구하다 한순간에 반짝임을 잃고 번아웃 상태에 빠진 히카리가 그렇다. 히카리는 자신이 상실한 것의 무게를 "신장 하나만큼의 무게"라 표현한다. 시골에서 상경한 마히루가 연기 수재들만 모인 세이쇼 학원에서 주눅이 드는 부분도 마찬가지다. 카렌과의 관계를 통해서만 자신의 가치를 발견하던 마히루는 카렌을 향해 외친다. 다시 내 보살핌을 받으라고. 이렇듯 이야기 자체의 완성도도 충분히 뛰어난 작품이다. 직접 보면서 자신만의 해석을 시도해 보시기를. (사족이지만 다이바 나나라는 캐릭터가 여러모로 멋있다. 바나나이스!)

물론 이런 소녀 이미지에 대한 비판점이 없지는 않다. 숭배와 혐오는 본질적으로 동전의 양면이다. 어린 여성에 대한 과도한 찬양은 나이를 먹은 여성에 대한 비하와도 직결된다. 소녀 이미지가 횡행하는 일본에서는 여성의 나이는 크리스마스 케이크라는 말이 떠돈다. 12월 25일이 지나면 크리스마스 케이크의 가격이 떨어지듯이, 여성도 나이가 들면 가치가 떨어진다는 뜻이다. 〈SIMOUN〉에서도 이런 경향을 엿볼 수 있다. 분명 성별을 선택할 수 있는 사회인데도 여전히 여성에 대한 차별이 존재한다. 작중에서 소녀는 예찬의 대상이지만 정작 성인 여성은 가질 수 있는 직업의 폭도 줄어든다. 작중에서 성별은 어디까지나 선택지일 뿐이라지만, 역시 그 부분에 대한 고찰이 없는 지점은 아쉽다.

게다가 별은 빛나는 것이 아니라 타오르는 것이 아닌가. 〈레뷰스타〉의 히카리는 신장 하나를 잃고서도 자신을 재생산했지만 모든 사람이 그처럼 운이 좋을 수는 없다. 평범한 사람은 모든 것을 불태우려다 자칫하면 번아웃에 빠지기 십상이다. 열정도 좋지만 무엇이든 적당히 하도록 하자. 게다가 이런 소진은 가상의 캐릭터에게만 일어나는 일이 아니다. 각종 라이브를 보다 보면 과연 이대로 괜찮은가 싶은 생각이 종종 든다. 물론 반짝임의 세계를 현실에서 재현하는 광경은 더할 나위 없이 멋지다. 하지만 그것을 위해 들어가는 성우의 노동력도 무시할 수 없다. 성우는 기본적으로 목소리로 연기를 하는 사람인데 프로젝트가 대중화되면서 각종 춤이며 노래까지 섭렵해야 한다. 소위 '성우의 아이돌화'이다. 열정이라는 미명하에 성우에게 과도한 부담을 지우는 것은 아닌지 한 번쯤은 생각해 볼 필요가 있다.

◆ 일도 사랑도 놓치기 싫다, 사회인 백합물

사회인 백합물은 백합 장르에서 상대적으로 비주류에 속하는 분야였다. 아무래도 백합의 기원이 여학교를 배경으로 한 소녀 소설이다 보니 예나 지금이나 10대 여성이 주연인 경우가 많다. 물론 모리시마 아키코처럼 꾸준

히 성인 여성이 등장하는 백합 만화를 그려온 사람도 있지만, 전반적인 분위기는 여전히 여학교 백합물이 강세였다. 그래서 레즈비언과 바이 여성을 독자층으로 확보한 〈수크레スクレ〉, 〈프리네フリーネ〉 등의 만화 잡지를 사회인 백합물의 전신으로 보기도 한다. 이런 만화 잡지에서는 백합이라는 표현을 잘 쓰지는 않았지만, 배경에다 새하얀 백합을 그려 넣는 경우는 많았다고 한다. 백합이 과거에는 여성 동성애자의 은어였으니 어찌 보면 당연한 일이다.

그러다가 2018년쯤부터 '사회인 백합 앤솔러지'가 하나둘씩 출간되었다. 단편집뿐만 아니라 성인 여성이 주인공으로 등장하는 장편 작품도 서서히 늘어났다. 이렇듯 사회인 백합물이 부상한 이유는 무엇일까. 백합 장르의 당사자성을 고려하면 아주 간단하게 설명할 수 있다. 한마디로 독자가 나이를 먹어서다. 백합 원년인 2003년에 입문했던 어느 여자 고등학생이 있다고 해 보자. 이 고등학생의 나이를 만 열여섯 살로 잡으면 2018년에는 만 서른한 살이다. 한창 사회에서 일하며 경력을 쌓을 시기이다. 〈유리히메〉 편집장의 인터뷰에 의하면* 여성 독자

* "きっかけは『ゆるゆり』！ブレイクする「百合」の魅力を専門誌編集長に聞いてみた。"
출처 https://ddnavi.com/interview/420470/a

들은 백합 작품을 자신의 이야기라고 생각하며 읽는 경향이 강하다. 자연히 자신과 비슷한 사회인 여성이 등장하는 백합 작품을 읽고 싶다는 욕구도 커질 것이다. 그중에서 몇 가지 추려내서 소개해 보자면 다음과 같다. 『우리가 사귀어도 괜찮을까』의 주인공은 엄밀히 따지면 사회인이 아니라 대학생이지만, 따로 분류하기도 애매해서 여기서 같이 묶었다.

우선 「투 룸, G펜, 알람시계」가 있다. 사회인 백합물 만화 중에서는 가장 잘 알려졌기 때문에 어쩔 수 없이 소개하지만, 보면 볼수록 카에데가 여자 기둥서방이라는 생각밖에 들지 않는다. 이렇게 써도 그리 틀린 말은 아니다. 유능한 회사원 카즈키가 만화가 지망생인 룸메이트 카에데를 좋아하게 되면서 각종 뒷바라지는 물론이고 집안일까지 거의 도맡아 하니까. 둘의 관계 자체가 일종의 공의존이라는 생각마저 든다. 게다가 카에데의 친구로 등장하는 코유키도 어시스턴트로서 무상으로 노동력을 제공한다. 호의와 애정이라는 이름으로 작중에서 얼마나 많은 노동이 무상으로 이루어지는지 모르겠다. 의도적으로 일어난 착취도 아니라서 어찌 보면 더 교묘하다. 본인이 기둥서방이 되어 다정하고 똑 부러진 여자한테 부양받고 싶은 판타지가 있는 사람이라면 잘 맞을지도 모르겠다.

이렇게만 써놓으면 상당한 혹평 같지만, 만화 자체는 더할 나위 없는 수작이다. 어른이 되고 제 감정을 숨기는 게 익숙해진 등장인물들이 펼쳐 나가는 멋진 로맨스이기도 하다. 다들 어딘가 모난 구석이 하나씩은 있는 사람들인데 밉지 않게 잘 그려냈다. 결국 근본적으로는 선량하고 다정한 사람들이었으니까. 특히 츠지도 아오이 씨가 그렇다. 이 사람은 꼭 이렇게 성과 이름을 함께 써야 할 것 같은 묘한 압박감이 있다. 츠지도 아오이는 '마성의 바이'라는 별명이 붙어도 전혀 이상하지 않은 사람이다. 작중에서는 4권부터 등장하며 엄청난 존재감을 과시한다. 교토 여자에 대한 고정관념을 고스란히 재현한 캐릭터지만, 좀처럼 속을 알 수 없는 나쁜 언니는 언제나 사랑할 수밖에 없다.

백합 장르의 유구한 클리셰인 "너의 좋아해와 나의 좋아해는 달라."도 약간 변형된 형태로 들어가 있다. 여기서는 우정과 사랑의 아슬아슬한 줄타기 같은 느낌이다. 카즈키도 카에데도 여태까지의 우정을 지키고 싶은 마음과 고백을 하고 앞으로 나아가고 싶은 마음 사이에서 갈등한다. 그 과정에서 약간 위험한 대학 후배 마히로가 카즈키에게 접근하는 식으로 주변 인물들까지 얽히면서 온갖 갈등이 일어나는데, 이런 이야기를 흥미진진하게 잘

풀었다. 결국 나이를 먹고 어른이 되어도 감정의 문제는 정직이 최선이라는 생각이 들었다. 남은 속여도 자신의 감정만은 속일 수 없고, 기만을 바탕으로 맺는 관계가 오래갈 리도 없으니까. 관계는 언제나 어렵고 때로는 용기가 필요한 법이지만, 그걸 이겨내면 이전보다도 더 단단해지기 마련이다. 카에데가 앞으로는 정신을 똑바로 차려서 과소비도 자제하고 집안일도 잘 분담했으면 좋겠다. 그만큼 무상 노동력을 제공했으면 슬슬 갱생해야 한다.

「정시에 퇴근하면」도 비슷한 색채를 지닌 만화이다. 특히 작가님이 실제로 커밍아웃한 여성 퀴어이기 때문에 꼭 소개하고 싶었다. 1부에서도 언급했듯이 이누이 아유 작가님은 〈유리히메〉에서 여성 파트너와 동거하는 에세이 만화를 연재한 바 있고 현재는 일본에서 단행본이 발간되었다.* 물론 그것과는 별개로 만화 자체도 충분한 수작이다. 보는 내내 행복한 기분이 차올라서 남은 페이지가 줄어드는 게 아쉬웠다. 여기서도 백합 장르의 클리셰인 "너의 좋아해와 나의 좋아해는 달라."가 나오는데 적절한 변주가 들어가서 간만에 유

* 최근 「오늘도 한지붕 아래에서」라는 제목으로 한국에서 정식 출간되었다.

쾌하게 웃었다. 이게 무슨 소리인지는 직접 보시면 안다. 이걸 이렇게 비틀어서 활용할 수도 있구나 싶었다.

연애를 중심 소재로 다루는 만화답게 달콤하고 다정한 이야기가 많지만, 그 와중에도 현실에서 여성 퀴어가 겪는 씁쓸함이 배어 나온다. 이를테면 카오리는 친구들과 이야기하면서 여자 친구를 남자 친구로 바꿔서 말해야 했다. 그런 사소한 거짓말조차 하나하나 쌓이게 되면 큰 스트레스로 다가온다. 무언가를 숨긴다는 것 자체가 마음에 무거운 부담을 주니까. 정상성을 벗어난 연애를 하며 느끼는 불안에 대해서 섬세하게 다루면서도 암울한 이야기로 흐르지는 않는다. 비록 불안이 사라지지는 않더라도, 나와 함께하는 미래를 상대방이 계속 선택하도록 노력하겠다는 결의가 참 멋졌다.

『일도 사랑도 인사부터』는 앞서 소개한 만화보다 작품 속에서 일이 차지하는 비중이 상대적으로 높다. 제목의 '인사'부터 중의적인 표현이다. 인사(人事)에는 여러 가지 뜻이 있는데 네이버 국어사전을 잠시 인용해 본다.

1. 처음 만나는 사람끼리 서로 이름을 통하여 자기를 소개함. 또는 그런 말이나 행동.

2. 관리나 직원의 임용, 해임, 평가 따위와 관계되는 행정적인 일.

여기서는 1과 2의 뜻을 모두 아우르는 표현이다. 주인공인 코모리가 영업과에서 근무하다가 느닷없이 인사과로 발령받으니까. 일본어 원제부터 일종의 언어유희였기 때문에 상당히 재치가 뛰어난 번역이다. 코모리는 내심 인사과를 시시한 부서라고 깔보고 있었지만, 신입으로서 선배인 야마노베에게 지도를 받으면서 서서히 변화가 일어난다. 이 만화는 작가인 유니 선생님이 인사과에서 근무한 경험을 바탕으로 그렸다. 덕분에 보다 현실적인 면모가 돋보인다. 두 사람이 무단결근한 신입 사원을 직장으로 데려오기 위해 고군분투하는 부분에서는 인사과의 애환이 고스란히 느껴진다. 코모리는 첫 업무의 소감을 이렇게 말한다. 남의 일에 휘둘리는 건 우울했다고. 그러면서도 백합 만화로서의 재미도 놓치지 않는다. 코모리는 인사부로 자리를 옮기자마자 야마노베를 러브호텔에서 맞닥뜨린다. 그것도 여자와 함께 있는 모습을. 야마노베는 수많은 여자와 가벼운 만남을 즐기지만, 어째서인지 연애만은 기를 쓰고 피한다. 2권에서는 야마노베의 과거가 밝혀진다고 하니 여러모로 흥미진진하다.

『만들고 싶은 여자와 먹고 싶은 여자』는 요리를 중심

소재로 다루는 사회인 백합 만화이다. 일본에서는 2022년 '이 만화가 대단해!' 여성 부문에서 무려 2위를 차지했다고 한다. 조금만 읽어 보아도 그 이유를 알 수 있다. 이 만화는 주인공인 노모토와 카스가가 여자라는 이유 때문에 겪는 고충을 생생하게 그려낸다. 똑같은 계약직이라도 여자는 남자보다 월급을 적게 받는다. 노모토는 계약직 여성으로 살아가면서 식비 때문에 걱정한다. 게다가 요리가 취미라는 이유로 남자 회사 동료에게서 좋은 신붓감이라는 소리를 듣는다. 왜 여성의 요리는 당연히 남자를 위한 것이라고 생각하는 것일까. 노모토는 항상 요리를 잔뜩 만들고 싶지만 소식가이기 때문에 그럴 수가 없었다. 반면 카스가는 대식가이다. 똑같은 돈을 냈는데도 식당 주인은 남자 손님보다 밥을 적게 담는다. 혼자 밥을 먹고 있으면 중년 남성이 대뜸 온갖 훈수를 두기도 한다. 여성은 홀로 밥을 먹는 것조차 이렇게나 힘들다. 답답한 현실 속에서 만들고 싶은 여자와 먹고 싶은 여자는 한 식탁에 둘러앉아 잠시나마 숨을 돌린다.

여성의 식사 장면에 쓸데없이 성적인 표현을 넣지 않은 점이 가장 마음에 들었다. 일본 요리 만화 중에서는 먹는 여성을 묘사하면서 포르노에나 등장할 법한 연출을 쓰는 작품이 종종 있다. 여성을 관음의 대상으로만 보는 남성의 시선이 고스란히 묻어나는 부분이다. 하지만 이 만화에는 그런 표현이 일절 없다. 보는 내내 숨통이 트이는 기분이었다. 특히 카스가가 우걱우걱 먹는 모습에서는 해방감마저 느꼈다. 현대 사회에서 먹는 양을 조절하지 않는 여성은 거의 없으니까. 정도의 차이는 있을지언정 여성은 다이어트와 몸매 관리에 대한 압박을 공기처럼 받으니 말이다.

아직 초반부라 둘의 로맨스가 본격적으로 발전하지는 않았지만(이 글을 쓰는 시점에서는 1권만 정식 발간되었다), 연재 초기에 작가님이 등장인물은 레즈비언이라고 똑바로 명시했다. 그러니 제발 이 작품을 찬양한답시고 "백합을 떠나서 좋은 작품이다." 운운하지는 말자. 이 작품은 두 여성의 관계를 주로 다루는 백합 장르이기 때문에 의의가 있다. 남자 얼굴을 죄다 달걀귀신으로 그리는 장르가 어디 흔한 줄 아는가. 남자는 얼굴조차 제대로 그리기 싫다는 작가님의 굳은 신념이 느껴져서 보는 내내 흐뭇했다. 물론 종업원이나 가게 주인은 남자라도 얼굴을 제대로 그려 넣었다. 이 세계관에서 남자가 얼굴을 가지려면 먹을 것을 대접해야 하는지도 모르겠다.

『우리가 사귀어도 괜찮을까』는 대학생인 사에코와 미

와가 사귀는 장면부터 시작하는 만화이다. 프롤로그부터 정사를 나누고서 나른하게 늘어진 두 사람은 독자에게 강렬한 인상을 남긴다. 둘은 밴드부 신입생 환영회에 갔다가 우연히 서로의 성적 지향을 알게 된다. 사에코는 가뜩이나 동성애자끼리는 만나기도 힘든데 한번 사귀어 보지 않겠냐고 제안한다. 미와는 잠시 망설이다가 제안을 받아들인다. 로맨스를 다루는 작품은 기본적으로 사귀기까지의 과정을 상세하게 다루는 경우가 많다. 그 과정이 보다 극적이기 때문이다. 하지만 이 작품은 그것을 과감하게 생략했다. 연인들이 사귀면서 겪을 법한 현실적인 갈등을 보다 빨리 그려내기 위해서이다. 보다 보면 친한 친구의 연애담을 들어 주는 느낌이 든다. 그만큼 갈등을 묘사하는 방식이 생생하고 구체적이다. 미와는 첫 연애이기 때문에 섹스를 두려워한다. 사에코는 내심 질투로 불타오르지만 억지로 태연하게 군다. 사에코는 연인에게조차 속마음을 제대로 말하지 못하고, 이 때문에 갈등의 불씨는 날이 갈수록 쌓여간다. 그 와중에 미와는 고등학교 시절에 짝사랑했던 선배와 재회하게 된다.

이 작품은 여자끼리의 연애에서 느끼는 답답함을 여과없이 드러낸다. 둘의 관계를 수상하게 여기는 선배 때문에 밖에서 잡았던 손을 놓기도 하고, 키스도 언제나 마음을 졸이면서 해야 한다. 둘은 누구한테 커밍아웃을 해야 하는지를 둘러싸고 신경전을 벌이기도 한다. 상대방이 동성애 혐오자라면 여러모로 대학 생활이 힘들어지니까. 백합은 기본적으로 서브컬처이기 때문에 로맨스에 대한 환상이 들어가지만, 주류인 소녀 만화 계열에서는 이처럼 현실적인 퀴어의 삶을 그리는 경우가 많다. 미와와 사에코가 섹스 문제 때문에 다투는 장면에서는 기시감마저 느껴졌다. 사에코는 해 주는 것만으로도 충분히 만족하지만, 미와는 받기만 하면 미안하니 자신도 해 주고 싶어한다. 하지만 정작 사에코는 애무를 받으면 섹스에 몰입하기 힘들어진다. 트위터에서 레즈비언 성생활 상담소 비슷한 계정을 하나 구독하는데, 거기서 틈만 나면 들었던 이야기다. 그곳에서도 언제나 결론은 "주는 것만으로도 충분히 행복하니 제발 해 주려고 들지 마라."였다. 이처럼 보다 현실적인 로맨스를 좋아하는 사람에게 추천하는 작품이다. 보기보다 감정 소모가 심하기 때문에 끊어서 읽기를 권한다.

한국의 웹툰과 웹소설은 일본과 사정이 약간 다르다. 소위 '아청법' 때문에 고등학생인 여자아이들이 등장하는 작품이 오히려 드문 편이다. 이러한 검열이 상당히 극심하기 때문에 키스 표현조차 허용되지 않는 경우가 허다하다. 판타지 세계관을 배경으로 하는 로맨스판타지에서도 주인공이 미성년자인 경우는 출판사에서 연령 상향을 요구하기도 한다. 정작 의제 강간죄의 처벌조차 제대로 이루어지지 않는 나라에서 이게 무슨 촌극인가 싶지만, 이 글의 주제는 아니니 여기서는 일단 넘어가자. 어쨌거나 이러한 사정 때문에 한국의 웹툰이나 웹소설은 대부분 주인공이 대학생이거나 사회인이다. 그중 재미있게 읽었던 작품 몇 편만 소개한다. 「봄바람」, 「연애담」, 「젖과 꿀」은 웹소설이고 나머지는 전부 웹툰이다.

「봄바람」의 주인공인 이수는 과거의 트라우마로 인해 사랑을 믿지 않는다. 그러면서도 쉴 새 없이 연애 상대를 갈아치우며 피상적인 관계를 반복한다. 여러모로 모순을 끌어안고 사는 사람이다. 그러던 어느 날, 이수는 대중문화 평론가인 인휘경에게 끌리는 자신을 발견한다. 내심 재수 없다고 생각했던 상대였는데도 불구하고. 그리고 로맨스의 주인공이 흔히 그러하듯 사랑에 깊이 빠져들고 만다.

제목은 「봄바람」이지만 작중에서 등장하는 계절은 여름과 겨울이 대부분이다. 꽃이 흐드러지게 피어나는 봄은 아주 짧게 지나간다. 사랑의 달콤함과 찬란함은 결국 한순간이고, 관계를 지탱하는 대부분의 일상은 폭염과

혹한으로 이루어져 있다. 「봄바람」은 사랑의 뒤틀린 면모까지 가차 없이 드러내는 소설이다. 이수는 둘의 관계가 깊어지면 깊어질수록 집착적이고 의존적인 면모를 드러낸다. 죄책감으로 상대를 통제하려 들기도 하고, 상대의 모든 것을 알고 싶어서 꼬치꼬치 캐묻기도 한다. 이수는 갈수록 자기가 좋아하는 옷이나 머리 스타일보다는 휘경의 취향에 맞추게 된다. 의식하지 못하는 사이에 서서히 자신을 잃어버린 셈이다. 문제는 인휘경 역시 만만찮게 비틀린 사람이었다. 반듯하고 완벽해 보이는 첫인상과는 달리 그 이면에 감춰진 모습은 한없이 어둡고 축축하다. 철거촌에 자리한 휘경의 또 다른 집이 그것을 단적으로 드러낸다. 그런 휘경을 보면서 이수는 독백한다. 나는 당신에 대해 아무것도 몰라. 완전한 융합을 꿈꾸는 것이 로맨스의 환상이지만, 결국은 독립적인 두 개인일 수밖에 없다. 함께 있으면서도 더욱 외로워지는 어떤 순간들을 이 소설은 섬세하게 묘사한다.

그렇지만 모든 사랑은 결국은 '그럼에도 불구하고'로 끝을 맺는다. 이수가 이 사랑 이야기의 마지막 페이지에서 어떤 결말을 이끌어 내는지는 직접 읽으면서 확인해 보시기 바란다. 초반부와는 달리 눈부시게 성장했다는 사실만 여기서 언급한다. 결국 사랑을 유지하는 데는 폭염과 혹한을 함께 헤쳐 나갈 각오가 필요한 것인지도 모르겠다. 환멸에 사로잡히지 않고 담담히 나아가는 용기가. 상처받을 위험을 감수하면서도, 진부한 결말이 기다리고 있음을 뻔히 알면서도, 그럼에도 불구하고 나는 당신을 사랑한다고 외치는 것이. 그런 노력이 있어야만 사랑의 불씨는 꺼지지 않는 것이다.

또한 인휘경의 직업이 평론가다 보니 작중에는 영화나 시가 자주 인용된다. 이것이 등장인물들의 심정이나 작중의 상황과 절묘하게 어우러진다. 휘경의 공허하고 싸늘한 내면이 조금씩 드러나기 시작하는 부분에서 박찬욱의 〈스토커〉가 언급되는 식이다. 영화를 보신 분들은 아시겠지만, 〈스토커〉는 한 소녀가 삼촌과 만나면서 살인자로서의 본능을 서서히 자각하는 이야기이다. 특히 후반부의 한 장면에서 인용되는 기형도의 시는 압도적인 여운을 자랑한다. "가엾은 내 사랑 빈집에 갇혔네." 직접 읽으면서 그 여운을 느껴 보시기 바란다.

「연애담」은 「봄바람」의 AU(Alternative Universe) 소설이다. 이수와 휘경이 여기서도 등장하지만 나이도 설정도 전부 다르다. 휘경과 이수라는 배우가 각각 다른 작품에서 연기를 한다고 생각하면 이해가 빠를 것이다. 어차피 다른 세계관이기 때문에 어느 쪽을 먼저 읽어도 크게 상관은 없다.「봄바람」이 사랑의 질척질척하고 비틀린 면모까지 심도 있게 다루는 데 비해서「연애담」은 그보다는 한결 산뜻한 이야기이다. 로맨틱 코미디를 바탕으로 한 캠퍼스물이라 부담 없이 읽을 수 있다.

「연애담」은 제목 그대로 정말 연인들이 겪을 법한 이야기이다. 알콩달콩 잘 지내다가도 사소한 일로 토라져서 싸우기도 하고, 언제 그랬냐는 듯이 화해해서 깨가 쏟아지기도 한다. 19금 로맨스답게 성애 묘사도 제법 들어가서 마음이 충만해진다. 페미니즘이나 퀴어와 관련된 메시지도 군데군데 들어가 있다. GL 소설에서 '강제적 이성애'라는 단어를 보는 순간 문자 그대로 감격했다. 아무리 연인 사이라도 동의를 바탕으로 하지 않은 섹스는 언제든지 강간이 될 수 있다는 사실도 짤막하게 언급한다.「봄바람」의 조연들도 그대로 등장하기 때문에 비교하면서 읽어도 재미있다.「봄바람」에서 둘 사이를 중재하느라 고생했던 C는 여기서도 커플 사이에 끼어서 한바탕 괴로움을 겪는다. 후속작인 외전도 발간되었으니 이 작품도 놓치지 말고 챙겨 보시라.

「젖과 꿀」에서는 이름을 잃어버린 한 여자가 주인공으

로 등장한다. 그녀는 목사 집안에 며느리로 들어오느라 진짜 이름을 버려야 했다. 그 이후로는 최온유라는 이름으로 살아간다. 신을 믿지도 않으면서 독실한 신자를 연기하기 위해서. 남편인 시온은 지극히 무심해서 집에 잘 들어오지도 않는다. 그러던 어느 날, 시온의 여동생인 라헬이 병가를 이유로 집에 오게 된다. 시부모도 시온도 어쩐 일인지 라헬을 피해 다니고, 온유는 텅 빈 집에서 라헬과 단둘이서 지내게 된다. 온유는 라헬에게 온갖 음식을 만들어 주며 지극정성으로 그녀를 돌본다. 서서히 라헬에게 끌리는 마음을 극구 부인하면서.

주인공이 거의 집 밖으로 나가지 않기 때문에 이 소설은 사실상 실내극이다. 온유와 라헬이 실내에서 대화하는 장면과 내적 독백이 작품의 대부분을 차지한다. 그런데도 지루함을 느낄 틈은 없다. 이 집안이 많은 비밀을 숨기고 있다는 암시가 계속해서 나오기 때문이다. 게다가 온유가 라헬에게 느끼는 끌림을 계속해서 부정하기 때문에 작중에는 팽팽한 긴장감이 감돈다. 하지만 아무리 가면을 쓴다고 해도 자신의 감정만큼은 숨길 수 없다. 밀폐된 공간에서 연정은 은밀하고도 농염하게 싹튼다. 그 묘사를 읽는 것만으로도 꽤 즐거웠다. 사랑이란 것과 꿀처럼 부드럽고 달콤하게 찾아오니까.

하지만 사랑은 그저 달콤하지만은 않다. 때로는 세상과 맞설 단호한 용기를 주기도 한다. 온유는 라헬과의 관계를 통해서 내면의 억압을 서서히 벗어던진다. 작중에서 온유는 제 처지를 새장에 갇힌 새로 비유한다. 시아버지는 온유를 새장에 가두면서 그것이 구원이라며 일갈한다. 위선으로 가득한 시아버지의 가짜 구원과 라헬이 선사하는 진짜 구원은 극명한 대조를 이룬다. 하지만 설령 누군가가 새장 문을 열어 준다고 해도 날개를 펼치고 날아오르는 것은 결국 새의 몫이다. 그런 의미에서 이 소설은 멋진 여성 성장 서사이기도 하다. 온유가 어떻게 자기 자신을 되찾아 가는지 직접 읽으면서 확인해 보시기를. GL 웹소설로서는 드물게(!) 전연령이라서 청소년 분들도 부담 없이 읽을 수 있다.

『온초점』은 일상 속에 녹아든 연애의 모습을 그려낸 만화이다. 그만큼 이야기가 굉장히 잔잔하게 흘러가는 편이다. 주인공인 수지와 소라는 연애하면서 함께 밥을 먹거나 카페에서 마주 앉아 커피를 마신다. 둘은 택시를 타고 가다가 상대를 끌어안고 싶어서 돌아오기도 하고, 상대가 옛날에 쓴 소설을 찾아서 읽기도 하고, 상대를 위해 요리를 해서 맛있는 음식을 먹여 주기도 한다. 딱히 극적인 사건이 없더라도 그런 소중하고 다정한 일상이 모여서 삶을 이룬다. 긴 시간 동안 유예되었던 마음은 그런 과정을 통해서 다시 맺어진다. 작품 속에서 정체성에 대한 고민이나 성소수자가 받는 차별에 대한 묘사는 거의 없다. 그만큼 부담 없이 읽을 수 있는 만화이다. 한 번에 몰아보기보다는 생각날 때마다 한 꼭지씩 읽는 것을 추천한다.

서브 커플로 다운이와 영인이의 이야기도 나오는데, 삐걱거리는 연애를 하고 있는 사람들이라 안타까웠다. 여성 간의 연애다 보니 둘은 연애 사실을 누구한테도 알리지 못해서 답답해한다. 결국 주변으로부터 철저히 고립되는 셈이다. 성소수자들이 겪는 어려움을 아무리 배제하려고 해도, 배경이 현대의 한국인 이상 이렇게 조금씩은 묻어난다. 게다가 레즈비언인 다운이 바이인 소라를 같잖게 보면서 시비를 거는 장면도 있는데 현실에서 충분히 있을 법한 일이다. 그래도 끝까지 보니 다운이도 근본적으로 나쁜 사람은 아니었다. 전반적으로 봄날의 햇살처럼 다정한 시선이 묻어나는 만화이다. 소라와 수지가 나누는 정사조차 포근하기 그지없다. 요즘 보기 드문 흑백 만화이니 모니터보다는 종이책으로 보면 색다른 맛을 느낄 수 있다.

《반하면 안 돼!》는 배우와 매니저의 로맨스를 다루는 연예계물 웹툰이다. 주인공인 정현은 욱하는 성질머리 때문에 번번이 아르바이트에서 잘린다. 참다못한 오빠는 그런 정현에게 매니저 일을 소개해 준다. 정현은 유명한 배우인 희라의 매니저로 일을 시작하자마자 난관에 부딪힌다. 희라는 보기보다 까칠한 성격이었지만 그건 아무런 문제도 아니었다. 여태껏 얼굴만 보고 사랑에 빠져왔던 정현은 이번에도 어김없이, 희라의 얼굴에 반하고 말았던 것이다. 하지만 얼굴만 보고 시작한 연애가 좋게 풀릴 리가 없다. 정현은 똑같은 잘못을 반복하기 않기 위해서 이 감정을 숨겨야 한다고 자신을 타이른다. 본인은 숨긴다고 숨기지만 워낙 제 감정에 솔직한 사람인지라 쉽지 않다. 반면 희라는 배우답게 제 감정을 숨기는 데 능숙한 편이다. 원체 예민한 성격인 데다 모종의 사건 때문에 주변 사람을 잘 믿지 못한다. 정반대인 두 사람이 서로에게 이끌리는 과정이 쏠쏠한 재미로 다가온다. 그뿐만 아니라 연예계를 다루는 작품인 만큼 스토킹이나 배우의 열악한 노동 조건 같은 무거운 주제도 등장한다. 물론 읽기 힘들 정도의 분위기는 아니며 오로지 앞만 보고 돌진하는 정현 덕분에 갈등이 시원스레 해결되는 편이다. 비교적 짧은 이야기이니 부담 없이 볼 수 있다.

《블루밍 시퀀스》는 대학 영화 동아리를 배경으로 한 캠퍼스물 웹툰이다. 동아리 선후배로 만난 서우와 하영은 서서히 서로에게 이끌리다 마침내 사귀게 된다. 하지만 연애라는 관계가 사랑만으로 순탄하게 풀리지는 않는다. 과거 하영의 연인이었던 이화가 복학하면서 둘의 관계는 새로운 국면으로 접어든다. 둘이 사귀면서 이야기가 끝나는 것보다는 이렇게 사귄 이후의 갈등을 볼 수 있어서 여러모로 흥미진진했다. 특히 하영의 내면에 깊이 공감할 수 있었다. 하영은 과거에 이화와 맺었던 관계의 실패가 자기 탓이라고 생각하며 자책한다. 그래서 똑같은 실수를 되풀이하지 않기 위해서 여러모로 무리수를 둔다. 그게 어떤 마음인지 알 것 같았다. 꼭 연애가 아니더라도 그런 경우는 많으니까. 관계에서 받은 상처 때문에 어떻게든 그 부분만은 피하고 싶어서 전전긍긍하는 경우는. 결국은 그것 때문에 갈등이 오히려 증폭되었다는 부분이 아이러니하지만 말이다.

백합 장르에 속한 작품이라 주축은 당연히 서우와 하영의 관계지만, 작중에는 그 외에도 여자들이 맺는 다양한 관계가 등장한다. 친구 관계, 모녀 관계, 선후배 관계, 자매 관계 등등. 이 수많은 관계는 서우와 하영을 성장하게도 하지만 때로는 갉아먹기도 한다. 그래도 전체적으로는 관계를 통한 성장이라는 주제를 다루는 작품이다. 특히 이화의 가정사에서 모녀 관계를 다루는 방식이 상당히 인상적이었다. 둘은 무리하게 화해하려 들지 않고 서로 거리를 두는 게 낫다는 결론을 내린다. 모성애의 강조나 뻔한 가족주의로 귀결되지 않는 점이 참 신선하게 다가왔다. 자세한 내용은 역시 직접 보시기를 권한다.

◆ 일본 백합은 과연 어디까지 가는가

최근의 일본 백합 상업 작품을 둘러보면 혀를 내두르게 된다. 그야말로 욕망의 춘추전국시대라 해도 과언이 아니다. 특히 급부상하는 키워드가 오네로리와 레즈비언 업소이다. 오네로리는 성인 여성과 여아의 관계를 주로 다루는 백합의 소분류이다. 솔직히 말하자면 그다지 언급하고 싶지 않은 분야이다. 아무리 좋게 해석하려 해도 아동을 로맨스의 대상으로 보는 작품은 윤리적인 문제의 소지가 크니까. 하지만 일본에서는 이미 수차례 앤솔러지까지 나왔고, 「나에게 천사가 내려왔다!」는 유리히메 코믹스의 인기작으로서 애니메이션까지 만들어졌다. 간단하게라도 언급은 하고 지나가야 한다는 소리다. 「나에게 천사가 내려왔다!」는 호기심을 이기지 못하고 애니메이션판 1화만 보았는데, 아주 명확한 로맨스의 공식이라서 경악했다. 물론 신체적인 접촉은 일절 하지 않는다고 들었지만, 도저히 견딜 자신이 없어서 그 뒤로는 보지 못했다. 이 분야의 대표자는 이토 하치라는 여성 작가로, 여성 작가라고 해서 윤리적인 창작만 하지 않는다는 점을 아주 극명하게 보여 준다. 마지막 남은 양심인지, 아니면 편집부의 압력인지는 모르겠지만 이토 하치는 인간 여아보다는 수인을 자주 소재로 삼는다. 수인은 일종의 짐승 인간이라고 생각하면 쉬울 것이다. 겉모습은 어려 보이지만 사실은 이미 성인이 된 수인이라는 식으로 편법을 자주 쓰는데, 눈 가리고 아웅이라도 했으니 다행이라고 여겨야 할까.

레즈비언 업소는 더 구체적으로 말하자면 레즈비언 성매매 업소이다. 레즈비언 업소라고는 하지만 실제 이용자는 이성애자와 양성애자 여성도 상당수 존재한다고 한다. 본인의 성적 지향을 탐구하기 위해서 방문한다나 뭐라나.* 〈레즈비언 업소 앤솔러지〉**가 날개 돋친 듯이 팔려

* "「レズ風俗」にハマる女性が続出中…知られざる「新しい快楽」の秘密" 출처 https://gendai.ismedia.jp/articles/-/74303

** 한국에 정식으로 발간된 작품은 아니다.

나간 이후로는 관련 소재가 어디를 가나 넘쳐난다. 심지어 실제 레즈비언 업소를 운영하는 점주가 검수했다는 내용을 세일즈 포인트로 내세우는 책도 있었다. 2차 창작에서도 이런 경향은 마찬가지이다. 〈러브 라이브〉 2차 창작을 주로 그리던 사람이 어느 날 트위터에 레즈비언 업소를 다녀오겠다는 메시지를 남겼다. 사람들은 다들 잘 다녀오라며 훈훈한 응원을 보냈다. 그 뒤로 그 사람은 〈러브 라이브〉 인물들이 레즈비언 업소에서 일하는 내용의 만화를 그려서 많은 호응을 받았다.

이처럼 일본은 성매매에 관한 기준이 한국과는 너무 달라서 머리가 멍해질 지경이다. 물론 성매매 자체는 일본에서도 불법이지만, 엄밀히 말하자면 남녀 간의 성기 결합만 불법이다. 쉽게 말해서 나머지는 대부분 해도 된다는 소리다. 일본의 인기 에세이 작가인 나카무라 우사기가 잠깐 성매매 업소에서 일하고 나서 쓴 에세이가 있다. 제목은 『나라고 하는 병私という病』인데 한국어 번역본은 없다. 여기서 손님인 남자가 삽입 섹스를 하게 해 달라고 조르고 나카무라 우사기가 불법이라서 안 된다며 단칼에 거절하는 장면이 나온다. 물론 불법이라고 하더라도 우회로는 얼마든지 있다. 남자 손님과 여자 점원이 눈이 맞아서 연애했다고 둘러대고, 겉으로는 멀쩡해 보

이는 다른 서비스에 고액의 요금을 부과하는 식으로.

일본의 분위기가 이렇다 보니 레즈비언 업소에 다녀온 경험담을 그린 에세이 만화도 있다. 나가타 카비의 『너무 외로워서 레즈비언 업소에 간 리포트』이다. 한국에서도 정식으로 출간되었으니 관심이 있다면 읽어 보시라. 읽어 보면 알겠지만 이 책은 전혀 선정적이지 않다. 적어도 자극적인 제목에 이끌려서 이 책을 펼친 독자가 기대할 만한 장면은 하나도 없다. 왜냐하면 작가는 업소에 가서 제대로 된 섹스는 하지도 못하고 돌아왔으니까. 작가는 BL이 그려내는 가상의 남성 간 섹스만 접했을 뿐이지 실제 여성끼리 섹스하는 데 필요한 사회적인 양식은 전혀 알지 못했다. 게다가 워낙 오랜 세월 동안 정신 질환을 앓아 왔기에 사람을 대하는 데 서툴렀다. 기본적으로 섹스는 몸으로 하는 고도의 의사소통이다. 대화조차 제대로 이어 나가지 못하는 사람이 타인과 섹스를 할 수 있을 리가 없다. 작가가 이 사실을 온몸으로 깨닫고 나서 하는 독백이 압권이다.

"성기만 있으면 (섹스를) 할 수 있을 줄 알았어."

어쨌거나 이렇게 구구절절 설명하는 이유는 따로 있

다. 이런 소재가 종종 등장한다는 사실을 알려야 거부감이 있으신 분들이 사전에 피해 갈 수 있다. 앞서 말했듯이 일본은 성매매에 상당히 관대한 사회이기 때문에 등장인물이 성인이라면 레즈비언 업소 소재가 불시에 등장한다. 『내 최애는 악역 영애』만 하더라도 레이가 클레어의 머리를 말아 주면서 업소 머리 운운하는 장면이 있다. 이것 때문에 읽다가 도중에 하차하신 분도 주변에 있었다. 이런 소재를 못 견디겠다면 10대 여성이 주로 등장하는 백합 작품만 보는 것을 추천한다. 오네로리는 이토 하치라는 작가를 예의 주시하면 대부분은 피해 갈 수 있다. 이 작가가 백합 앤솔러지란 앤솔러지는 죄다 참여한다는 게 문제라면 문제지만.

◆ 여성 간 섹스는 더 이상 변명의 대상이 아니다

다른 장에서 언급했듯이, 백합 장르는 점점 여성을 사랑하는 여성의 섹슈얼리티를 받아들이는 방향으로 발전했다. 백합 향유층은 더는 여성 간 섹스에 구구절절한 변명을 덧붙이지 않는다. 최근에는 아예 제목에 섹스가 들어가거나 성관계를 주요 소재로 삼는 작품까지 나오는 실정이다. 〈레즈비언 업소 앤솔러지〉가 대표적인 예시이다. 여기서는 한국에서 볼 수 있는 작품 위주로 소개한다.

여기서 빼놓을 수 없는 작가가 미라 선생이다. 주로 여성 간 섹스를 주요 소재로 삼은 만화를 그리는데, 생각보다는 줄거리도 탄탄하다. 또한 SM을 소재로 한 백합부터 안드로이드와 사랑을 나누는 SF 백합까지 그야말로 여러 장르를 넘나든다. 안타깝게도 한국에서는 「남국에서: 바다와 당신과 태양과」와 「흠뻑 젖은 백합 엘프 공주」, 「백합 SM으로 두 사람의 마음은 이어집니까?」 이렇게 세 작품만 정식으로 발간되었다.

미라 선생이 그리는 18금 만화는 여성향과 남성향의 융합체 같은 느낌이다. 스토리 자체는 여성향 로맨스의 정석을 따른다. 하지만 하반신을 바짝 클로즈업하는 연출은 남성향에 가깝다. 그렇다고 아예 여자의 가슴을 수박처럼 그리는 남성향 특유의 과도한 신체 변형은 없다. 여성 지인의 말을 잠시 빌리자면 거부감보다는 '꼴린다'는 생각부터 들었다고 한다. 하기야 여자의 가슴에 집착하는 여자가 없겠는가. 이 작가는 여성의 육체를 보다 육감적으로 표현한다. 끈적하게 흘러넘치는 체액, 거친 숨소리, 달아오르는 얼굴… 심의 때문에 사타구니가 죄다 새하얗게 빛나는 게 아쉬울 지경이다. 일본어가 가능한 분이라면 다른 작품도 찾아서 읽기를 권한다. 두 여자가 뜨거운 성관계를 맺는 모습을 보는 것만으로도 마음이 충만하게 차오르니까.

여기서 잠깐 여성향과 남성향 18금의 차이점을 짚고 가겠다. 여성향은 주로 두 사람의 표정이 드러나고, 절정의 순간은 대개 암시로 끝나며, 중간에 회상 장면이나 개그가 나와도 허용된다. 반면 남성향은 기본적으로 하반신을 바짝 클로즈업하는 연출이 많으며, 한 번 정사 장면에 돌입하면 개그나 회상 장면은 허용되지 않는다. 10년 전에 임시대피소에서 떠돌던 자료를 인용한 것이다. 다만 그때도 여성향과 남성향의 연출이 동시에 드러나는 작품이 많다는 지적이 나왔다. 미라 선생만 하더라도 때로는 여성향처럼 두 사람을 하나의 장면에 담아서 표현하지만, 때로는 남성향처럼 하반신을 바짝 클로즈업하는 연출을 쓴다. 누누이 말하지만 대체로 이러한 경향이 있다 정도로만 받아들이기 바란다.

「시럽 NIGHT 첫날밤 백합 앤솔로지」(출간된 표기에 따름)는 여러 작가의 작품을 한데 엮은 단편집이다. 19금 딱지를 달고는 있지만 정작 수위는 그리 높지 않다. 이 작품은 여러 커플의 첫날밤을 다룬다. 작중에 등장하는 부부 혹은 커플들은 하나같이 풋풋하고 사랑스럽지만, 간혹 씁쓸한 맛도 섞여 든다. 결혼을 약속했지만 한쪽이 사고로 사망했거나, 이미 남자와 결혼한 상태에서 불륜을 저지르는 경우도 있다. 어찌 보면 당연한 일이다. 섹스는 기본적으로 두 사람의 가장 밀접한 접촉이자 의사소통 수단이다. 둘이 맺는 관계에 따라서 첫날밤이 지니는 색채도 달라진다. 그것을 염두에 두고 읽으면 재미있다.

《데빌 드롭》은 확실한 남성향이다. 미라 선생은 로맨스의 줄거리라도 갖추고 있지만, 이 만화는 처음부터 끝까지 섹스만 한다. 2화에서 주인공은 악마에게 자신과 한 번 섹스하지 않겠느냐고 제안한다. 악마는 흔쾌히 고개를 끄덕인다. 곧이어 악마의 여동생까지 합류하면서 이 만화는 그야말로 정신 나간 18금 코미디가 된다. "백합 만화의 소돔과 고모라"라는 평가는 절대 과장이 아니다. 자매끼리의 섹스는 이 만화에서 자극적인 축에도 들지 않는다. 쓰리섬(셋이서 하는 섹스)이나 BDSM*을 비롯한 온

* "BDSM이란 Bondage(구속)와 Discipline(훈육), Dominance(지배)와 Submission(굴복), Sadism(가학)과 Masochism(피학) 등 구속하고 지배 받는 것을 성적 취향으로 여기는 이들을 뜻한다."

출처: 정민경, "BDSM 연애 다룬 넷플릭스 '모럴센스' 논쟁", 미디어오늘, 2022.02.17
http://www.mediatoday.co.kr/news/articleView.html?idxno=302343

갖 플레이가 등장하며 독자의 시선을 휘어잡는다. 간간이 일상적인 이야기가 나오지만 결국은 섹스로 귀결되는 멋진 세계관이다. 남성향은 전반적으로 또라이 같은 유쾌함이 있는데, 이걸 견딜 수 있다면 강력하게 추천한다.

지금까지는 상업 작품 위주로 설명했지만, 사실 2차 창작에서도 이와 비슷한 경향이 나타났다. 성관계를 묘사하는 방식이 한층 거침없고 직설적으로 변했다. 앞서 이야기했듯이 백합 커뮤니티인 위킥스에서는 '음핵'이라는 단어를 썼다는 이유만으로 검열이 이루어졌다. 그런 시기에도 다들 여성 간의 성애를 보고 싶다는 욕망은 감출 수 없었는지 〈마이히메〉나 『마리미테』, 〈나노하〉 등의 18금 2차 창작물은 언제나 인기가 많았다. 당시 묘사되는 성관계는 육욕으로서의 성애보다는 어디까지나 사랑의 완성으로서의 측면이 강했다. 체위도 그다지 다양하지 않아서 대부분이 정상위였다. BDSM을 묘사하는 작품은 매우 드물었다. 당시, 그러니까 2000년대 중반에 일본의 『마리미테』 2차 창작 웹사이트를 전전하다가 한두 작품을 본 것이 다였다. 세일러문의 우라누스와 넵튠이 주인공이었는데 느닷없이 채찍을 휘둘러서 사람을 때리는 장면이 나오는 바람에 얼마나 놀랐는지 모른다. 그때는 그것이 합의된 폭력이라는 사실을 이해하기 힘들었으니 그럴 만도 했다.

대학을 졸업하고 사회로 나오게 되면서 한동안 2차 창작 백합은 멀리하게 되었다. 시간도 없었을 뿐더러 주류인 아이돌물은 영 취향에 맞지 않았기 때문이다. 그러다가 2019년 말 손에서 눈과 얼음을 뿜어내는 여왕과 그 여동생의 커플링에 흠뻑 빠지게 되었다. 원작의 제작사가 2차 창작에 관대한 편이 아니기 때문에 이렇게만 쓴다. 장장 15년 만에 다시 2차 창작으로서의 백합을 잡은 셈이다. 그래서인지는 몰라도 과거에 비해서 달라진 점이 확연하게 눈에 들어왔다. 섹스를 그저 사랑의 완성만이 아닌, 보다 육욕적인 성애라는 측면에서 묘사하는 작품이 늘었다. 체위도 보다 다양해져서 정상위뿐만 아니라 후배위를 비롯한 다른 체위도 자주 보였다. BL에서 들어온 '오메가버스'라는 세계관도 제법 인기를 끌었다. 오메가버스를 아주 간략하게 설명하자면 오로지 둘을 섹스하게 만들기 위해서 존재하는 세계관이다. 궁금하면 구글에서 검색해 보시라. BDSM도 마찬가지다. 어떤 작품은 심지어 세이프 워드(관계를 중단하고 싶다는 신호)의 개념까지 구구절절 설명하고서 들어가기도 한다. 이처럼 수없이 쏟아지는 소재 덕분에 지루한 사회적 거리두기 기간을 이겨낼 수 있었다. 이 책에서는 이런저런 이유로 상업 작품 위주로 소개하지만, 기회가 된다면 꼭 2차 창작으로서의 백합도 접해 보시기 바란다. 상업 작품과는 또 다른 매력을 충분히 맛볼 수 있을 것이다.

◆ 페미니즘의 렌즈를 통해 보는 백합 장르

※ 이 글은 〈소녀혁명 우테나〉의 치명적인 스포일러를 포함합니다.

1부에서 "백합 장르는 페미니즘의 프로파간다가 아니다"라고 썼지만, 주인공이 여성인 이상 백합 작품은 언제든지 페미니즘의 렌즈를 통해 읽을 수가 있다. 백합 장르의 금자탑이라 불리는 〈소녀혁명 우테나〉는 비단 백합뿐만이 아니라 페미니즘을 다루는 작품으로도 유명하다. 주인공인 텐죠 우테나는 어린 시절에 만난 왕자님을 동경한 나머지 스스로 왕자가 되려 하는 소녀이다. 우테나는 남자 교복을 입고 다니고, 남자들과 한데 어울려 농구를 하면서 두각을 드러낸다. 그러던 어느 날, 우테나는 우연히 학생회가 주최하는 결투에 말려들게 된다. 느닷없이 천공에 성이 나타나더니 결투장이 눈앞에 펼쳐진다. 상대의 가슴에 달린 장미 배지를 떨어뜨린 자가 결투에서 승리한다는 설명이 이어진다. 승리자는 장미의 신부인 히메미야 안시를 손에 넣는다고 한다. 결투의 보상으로서 주어지는 장미의 신부는 게일 루빈이 언급한 '여성 교환'이라는 개념을 떠올리게 한다. 결혼식에서 아버지가 남편한테 신부를 인도하듯, 안시는 결투의 승패에 따라서 이리저리 소유자가 바뀐다. 결투에 참여할 자격을 지닌 듀얼리스트들은 안시라는 계약의 증표를 매개로 온갖 어둠과 결핍을 뿜어낸다.

우테나는 기본적으로 비유와 상징을 통해서 극을 이끌어 가기에 보는 사람에 따라서 완전히 다른 해석이 가능하다. 이를테면 쥬리가 등장하는 에피소드만 하더라도 그렇다. 쥬리는 앞서 언급한 '이성애자 친구를 짝사랑하는 레즈비언'의 원형이라 할 만한 캐릭터이다. 쥬리는 친구 시오리를 사랑하는데 시오리는 열등감과 질투와 애정과 증오가 한데 뒤섞인 감정을 쥬리에게 내비친다. 그러다 후반부에 루카라는 남자 캐릭터가 등장한다. 그는 쥬리에게 남다른 애정을 품고 있으며 쥬리를 시오리로부터 해방시키려 한다. 루카라는 캐릭터에 대해 "백합에 남자 난입"이라며 적의를 보이는 사람도 있었고, "우테나는 기본적으로 여자아이에게 왕자는 필요 없다는 메시지를 전하는 작품인데 루카는 전형적인 왕자님이라 모순적"이라며 비판하는 사람도 있었다. 개인적으로는 그다지 동의하지 않는다. 셋의 관계는 남자가 낀 삼각관계에 가깝고 (작중에서는 세 개의 의자로 그것을 표현한다), 루카는 지나치게 폭력적이며 쥬리에게 억지로 키스를 하는 등 쥬리의 의사를 철저히 무시한다. 게다가 결과적으로 쥬리는 구원받지 못했으니 루카를 왕자님으로 보기는 힘들다.

〈우테나〉는 이미 고전의 반열에 든 작품이기에 20년이라는 세월 동안 이 작품 하나만으로 논문이 쏟아져 나왔다. 그래서 해석을 시도하는 행위가 새삼스럽게 느껴질 수도 있다. 그래도 남의 감상을 그대로 인용하고 싶지는 않으므로 나름대로 몇 줄 적어 보겠다.

TV 애니메이션(이하 TVA)의 우테나는 혁명에 실패할 수밖에 없었다. 왕자와 공주라는 이분법을 고스란히 답습했기 때문이다. 그렇다면 그 이분법이 왜 문제인가? 여기서 서양의 형이상학에 대해 잠깐 설명하고 넘어가야 한다. 서양 형이상학을 구조 짓는 이분법적인 위계는 동등한 한 쌍이 아니라 A/-A의 위계로 구성되어 있다. 인간/자연, 긍정/부정, 선/악, 우월/열등 등등.* 여성과 남성만 해도 동등한 한 쌍이라고 생각하기 쉽지만, 실상은 남

* 전혜은, 루인, 도균, 『퀴어 페미니스트, 교차성을 사유하다』, 도서출판 여이연, 2018, p.136.

성은 '여성이 아닌 자'이다. 남자들이 계집애 같다는 말을 얼마나 모욕적으로 여기는지 떠올리면 이해하기 쉬울 것이다. 우테나는 마녀인 안시가 고통스러워하는 모습을 보고서 자신이 왕자가 되겠다고 외친다. 안시가 마녀로서 억압받은 근본적인 이유가 바로 왕자와 공주의 이분법이었는데도. 설령 우테나가 안시의 진정한 왕자님으로 인정받았다 해도 결국은 명예 남성에 지나지 않는다. 사실 TVA의 우테나는 군데군데 명예 남성의 행보를 보였다. 초반의 우테나는 안시에게 자신의 신념을 고스란히 읊게 하고 뜻대로 따르지 않자 손찌검까지 한다. 이것은 사이온지가 안시에게 저지른 폭력과 전혀 다르지 않다.

하지만 극장판에서는 이 이분법이 조금씩 해체된다. 안시가 우테나와 서로의 초상을 그리는 장면은 영화 〈타오르는 여인의 초상〉을 떠올리게 한다. 이 영화에서는 화가가 모델을 그리는 동안 모델 역시 화가를 보고 있었다는 대사가 나온다. 우테나는 안시를 보며 과거 TVA에서 했던 말을 그대로 반복하지만, 안시는 대강 흘려듣다가 칼같이 자른다. 이제 슬슬 교대하자면서. 그리고 우테나의 누드를 그린다. 왕자와 공주, 구원하는 자와 구원받는 자, 화가와 모델의 이분법으로 접근해서는 결국 TVA의 반복일 뿐이다. 설정상으로는 평행세계라지만 극장판의 안시와 우테나는 TVA의 안시와 우테나가 겪었던 실패를 무의식적으로 알았던 것이리라. 안시가 우테나를 자신의 왕자님으로 인정한다고 하더라도 이분법적인 구도는 변하지 않고, 안시는 영원히 해방되지 못한다는 것을.

그래서였으리라. 우테나는 이번에는 안시에게 진정한 왕자님으로 인정받지만, 이내 고개를 젓는다. 그리고 자동차로 변신한다(!). 이 자동차는 과거 여성에게 금지되었던 이동권의 상징이다. 어찌 보면 남성성의 극한인 셈이다. TVA 후반부에서는 이사장이 자동차에 올라타서 상반신을 탈의하며 거들먹거리는 장면이 종종 나오지 않던가. 남성이 가진 이동권과 신체의 자유를 과시하는 장면이다. 그래서 이 장면을 두고 결국 우테나가 왕자님이라는 정상성을 수행했다는 해석도 본 적이 있다. 하지만 아무리 재빠른 자동차가 있더라도 결국 운전은 안시가 해야 한다. 자동차를 움직이는 열쇠 역시 안시에게 있었다. 안시가 그 열쇠로 시동을 걸고 자동차를 운전했기 때문에 진정한 해방이 이루어졌다. 우테나 역시 왕자가 아닌 동반자를 선택했기에 마침내 두 사람은 함께 빛났다.

〈우테나〉는 백합 장르의 고전이자 페미니즘을 다룬 작품으로 특히 서양에서 많은 사랑을 받았다. 〈쉬라〉 같은 미국 애니메이션에서 우테나의 오마주가 등장하는 것은 이제 그다지 놀랍지도 않다. 〈아날로그: 어 헤이트 스토리〉라는 작품 또한 우테나의 영향을 받아 만들어진 비주얼 노벨 게임이다. 굳이 장르를 분류하자면 SF물이자 페미니즘 서사이다. 플레이어의 성별을 선택할 수 있기 때문에 관측자에 따라서는 백합 작품이라고 부를 수도 있다. (이걸 슈뢰딩거의 백합이라고 해야 하나.) 시나리오 작가가 레즈비언이다 보니 작중에서 레즈비언 커플의 이야기가 짤막하게 등장하기도 한다. 하지만 기본적으로는 어느 인공 지능이 성차별이 극심한 우주선에서 과거에 겪어야 했던 일들이 핵심 줄거리를 이룬다. 현대를 살아가는 한국 여성에게도 충분히 와닿는 이야기이니 게임 소프트웨어 유통망인 스팀에서 구입하여 꼭 플레이해 보기를.

이런 종류의 이야기는 필연적으로 남성 권력에 대해 다룰 수밖에 없다. 자연히 등장인물 중 남자의 비중도 높을 뿐더러 대부분은 악역으로 등장한다. 사람에 따라서는 굉장히 스트레스를 받을 수 있다. 그저 편하게 여자끼리 사랑하는 이야기를 보고 싶다는 분에게는 굳이 권하지 않는다. 그래도 진한 여운을 남기는 작품들인 만큼 언젠가는 꼭 접해 보셨으면 한다.

『그녀의 심청』은 고전 소설 『심청전』을 재해석한 웹툰 작품이다. 고전 소설의 평면적인 인물들이 현대적인 재해석을 거치면서 보다 입체적으로 되살아났다. 특히 여성 인물들에서 그런 면모가 두드러진다. 심청이가 인당수에 몸을 던지게 된 계기만 해도 그렇다. 원작에서는 그저 아버지를 위한 효심으로 묘사되지만, 만화에서는 삶에 지친 기색이 역력하다. 청이는 이렇게 독백한다. 세상을 속이는 것도, 사랑하는 사람한테 버림받는 것도, 자기연민에 빠진 아비를 돌보는 것도, 전부 지쳤다고.

여기서 사랑하는 사람은 당연히 장 승상 부인, 즉 마님을 가리킨다. 『그녀의 심청』은 청이와 마님의 관계를 중심으로 이야기가 흘러간다. 심청은 마님과 함께 지내면서 그녀가 살아가는 방식을 배우기도 하고 때로는 의문을 갖기도 한다. 그 과정에서 온갖 페미니즘 서사가 함께 모습을 드러낸다. 사실 이 작품은 페미니즘 입문서로도 손색이 없다고 생각한다. 작품 속 남자들의 행패를 통해서 가부장제 사회가 여성에게 가하는 억압이 전부 폭로되기 때문이다. 이를테면 마님의 오라비는 어린 막내여동생을 기생집에 데려간다. 그리고 기생들을 가리키며 말한다.

"너는 이런 천박한 여자들하고는 다르다."

가부장제 사회에서 이루어지는 전형적인 분할 통치로, 바로 성녀와 창녀의 이분법이다. 여성을 이분법으로 가르고 서로 대립시키는 것은 남성 사회가 사용해 온 오랜 전략이다. 남성 사회가 아무리 어머니와 아내(성녀)의 미덕을 찬양한다고 하더라도, 결국 숭배와 혐오는 맞닿아 있다. 남자들이 인정한 정숙한 꽃이든, 가부장제에 순응하지 않는 천박한 꽃이든 결국 그들에게는 꽃일 뿐이다. 된장녀와 개념녀의 이분법과도 닮았다. 남자들이 이런 언행을 일삼을 수 있는 이유는 오직 하나뿐이다. 그들에게 여자를 인정할 수 있는 '승인의 권력'이 있기 때문이다. 가부장제하에서 남자의 승인은 너무나도 중요한 요소이다. 보통 결혼을 통해서 나타나는데 이것을 통해서 여자는 처음으로 여자로 인정받고 가부장제에서 지정석을 부여받는다. 지정석을 부여받지 못한 뺑덕어멈 같은 여자는 창녀라 불리며 멸시받는다. 뺑덕어멈이 낳은 아이 역시 사생아라는 꼬리표가 붙는다. 아이는 그저 아이일 뿐인데도 가부장의 승인 여부에 따라서 사회에서 받는 취급이 달라지는 것이다.

이 작품에서는 오라비 말고도 다른 남성 악역이 등장하는데, 그중 단연 돋보이는 것은 땡중이다. 사실 작품 속에서는 ×× 스님이라는 이름이 나오는데 기억에서 지워 버렸다. 그는 남자에게는 한없이 착한 사람이지만, 유독 여자에게만 잔인하게 구는 인물이다. 그는 청이가 더럽고 해진 옷을 입고 다녔을 때는 동정하여 잘 대해 주지만, 청이가 마님의 도움으로 반듯하게 꾸미고 다니자 돌변한다. 그러면서 하는 대사가 가관이다. "기껏 내가 도와줬더니 주제도 모르고!" 도움을 주는 자기 자신에게 취했기 때문에 할 수 있는 말이다. 그래서 예수가 왼손이 하는 일을 오른손이 모르게 하라고 한 것이다. 도와주는 사람과 도움을 받는 사람은 기본적으로 대등한 관계가 아니기 때문이다. 사람은 선의를 베풀면 알게 모르게 돌려받을 기대를 하거나, 상대를 멋대로 휘둘러도 괜찮다는 생각을 조금씩이라도 하게 된다. 위선의 탈을 뒤집어쓴 종교인 남자가 어떻게 여성 혐오를 드러내는지, 이 땡중이라는 인물은 적나라하게 보여 준다.

이런 억압 속에서 심청과 마님은 오로지 사랑 하나만으로 연대하며 어떻게든 하루하루를 버텨 나간다. 이 작품을 보고 있자면 여성 간 연대와 여성 간 성애를 꼭 대립시켜야 하는가 하는 의문이 든다. 사랑이란 때로는 그 무엇보다도 굳건한 연대가 될 수 있으니 말이다. 사랑하니까 상대를 믿고 서로가 성장할 수 있도록 이끌어 주고, 때로는 상처를 주더라도 다시 관계를 이어갈 수 있다. 청이와 마님이 그러했듯이. 진흙탕 속에서 서로가 서로에게 단 하나뿐인 빛이었던 관계니까. 관계란 때로는 서로를 진창으로 끌어내리지만, 때로는 이렇게 서로를 삶으로 끌어올리기도 한다.

이렇듯 『그녀의 심청』은 로맨스로서의 재미도 훌륭하지만, 퀴어 서사로서의 측면도 충분히 찾아볼 수 있다. 심청이 마님에게 작별을 고하는 장면을 자세히 보면 문지방을 경계선으로 심청과 마님이 서 있다. 이 문지방은 두 사람의 신분 격차, 내지는 마님이 아직도 버리지 못한 마음의 허울을 상징하는 것만 같았다. 마님은 끊임없이 심청과의 관계를 숨기고 거짓말을 한다. 현대를 살아가는 퀴어라면 마님이 어떤 심정인지 충분히 이해하고도 남는다. 청이를 수양딸로 삼겠다는 대사는 원작 고전에서도 나왔지만, 이것은 동성 커플이 법적으로 보호받기 위해서 선택하는 방법이기도 하다. 동성 결혼이 합법화되지 않은 나라에서는 결혼 대신 성인 간 입양으로 법적인 권리를 획득하기도 하니까.

여담이지만 『그녀의 심청』은 해외로도 진출했는데 그중에서는 백합의 본토인 일본도 있었다. 이제는 한국의 백합 작품이 일본으로 역수출도 되는구나 싶어 감개무량했던 기억이 난다. 일본 독자들은 청이와 마님이 함께 배에서 바다를 내려다보는 장면을 보고서 동반 자살 엔딩을 예상했다고 한다. 한국 독자들과는 달리 일본 독자들은 원작인 심청전에 대한 배경지식이 없었다. 앞서 언급했듯이 100년 전 일본에서는 S관계를 맺은 여성들이 낭만적인 동반 자살을 하는 경우가 많았다. 『그녀의 심청』은 백합/GL 카테고리에서 판매되었으니 과거 일본의 S문화에 기반한 독해가 이루어져도 전혀 이상하지 않다. 독자의 배경지식에 따라서 독해가 달라지는 지점을 잘 보여 주는 사례라 흥미롭다.

◆ 연애와 결혼도 엄연히 계약이다

계약 결혼이나 계약 연애는 이성 간 로맨스에서는 제법 흔한 소재이다. 그만큼 유구한 인기를 끌었다는 소리다. '선결혼 후연애'라는 해시태그까지 만들어질 정도이다. 이런 소재는 결말이 대체로 정해져 있다. 계약은 두 사람을 이어 주는 수단이자 계기에 불과하다. 두 남녀는 어차피 사랑에 빠질 것이라는 전제를 독자는 이미 알고 있다. 남은 것은 둘이 어떻게 가까워지는지 그 과정을 즐기는 묘미이다. 이 소재가 최근 들어서 백합 장르에서도 종종 보이기 시작했다. 일본에서는 시부야구나 삿포로 등 일부 지역에서 동성 파트너십 제도를 시행한 이후로 그 여파가 창작물에도 영향을 미쳤다고 본다.「엄마 아빠 때문에 후배(♀)랑 위장 결혼했습니다」가 대표적인 예시이다. 동성 파트너십 제도는 동성 결혼으로 가는 중간 단계라고 생각하면 쉽다. 아직 법적인 효력은 거의 없다고 하지만. 한국 역시 마찬가지다. 동성혼에 대한 요구의 목소리가 점점 높아지면서 『언니, 나랑 결혼할래요?』와 같은 책도 출간되었다. 어느 레즈비언이 좌충우돌하면서 언니와 연애하고 결혼하는 수필집인데, 정말 재미있다. 해학이 곳곳에서 배어 나오는지라 읽는 내내 웃느라 정신을 차릴 수가 없다. 어쨌거나 그런 사회적 배경 덕분에 이제는 '선결혼 후연애' 혹은 '계약 연애' 키워드의 작품도 백합 장르에서 종종 찾아볼 수 있게 되었다. 여기서는 웹툰만 소개한다.

《위장여친》은 전형적인 계약 연애물이다. 주인공인 연아는 연애 경험이 없는 모태 솔로이다. 남자들의 구애를 끊임없이 받지만 정작 본인은 귀찮아한다. 집적거리는 남자 때문에 골치를 앓던 연아는 레즈비언인 민영에게 사귀는 척을 해 달라고 한다. 레즈비언 커플이라고 하면 남자들이 더는 꼬이지 않을 거라는 심산이었다. 그런데 웬일로 민영이 선뜻 승낙한다. 이 뒤의 전개는 대강 예상이 가능하다. 결국 계약이란 둘을 이어 주는 장치일 뿐이라서 둘은 서서히 가까워지다 진심으로 좋아하게 된다. 하지만 민영에게는 이미 사귀는 상대가 있었다. 애초에 민영이 계약 연애를 받아들인 이유도 이 상대를 지키기 위해서였다. 이런 뒷사정이 드러나면서 민영와 연아의 관계는 이리저리 꼬이게 된다.

이 작품은 백합 장르 특유의 당사자성이 군데군데 돋보인다. 고백하기 전에 브라질리언 왁싱을 하고 온다든지, 연아가 레즈비언 클럽에 가서 제 매력을 시험해 보고 싶어서 왔다고 하자 레즈비언들이 질색하며 떠나간다든지 하는 장면이 그렇다. 이성애자 여성이 흔히 하는 착각이다. 레즈비언이 무조건 자기를 좋아할 거라고 생각하지만, 욕망당하는 자기 자신에 취한 사람을 누가 좋아하겠나. 또한 남성적인 스타일을 하고 다니는 부치 캐릭터인 민영에게는 온갖 편견 가득한 말이 쏟아진다. 연아는 차라리 진짜 남자를 사귀라는 말을 듣는데 이것은 부치와 사귀는 여자가 흔히 현실에서 듣는 말이다. 부치는 남자 흉내를 내는 여자가 아니라 남성적인 스타일을 추구하는 여자이다. 남성과 남성성(남성다움)은 엄연히 다르기 때문에 여성 역시 남성성을 지닐 수 있다. 연아가 그 말을 한 남자를 향해 일갈하는 장면은 속이 다 시원했다.

이 장면은 꼭 직접 보시기 바란다.

《그녀의 신부가 되었다》는 계약 결혼을 소재로 하는 웹툰이다. 백합 버전 막장 드라마라고 해도 과언이 아니다. 주인공은 아버지의 빚 때문에 재벌가의 장남과 강제로 혼인하게 되었다. 그런데 이 장남이 알고 보니 남장여자였다. 한국처럼 주민등록번호로 철저하게 국민을 관리하는 국가에서 남장여자는 사실상 불가능하다. 하다못해 아르바이트를 하려고 해도 주민등록번호가 드러나는 주민등록등본을 제출해야 하니까. 대부분의 남장여자물이 과거를 배경으로 하는 시대물 작품인 것은 결코 우연이 아니다. 일단 남장여자의 병역은 어떻게 해결한단 말인가? 그 부분은 신의 아들(?)이니 어떻게든 넘어갔다고 치자. 그 뒤로 이어지는 장면도 하나같이 어딘지 익숙하다. 남장여자의 정신연령은 어린아이 수준인데 어린 시절 당했던 교통사고의 후유증이라고 한다. 형수한테 지분거리는 남동생은 후계자 자리를 노리고 제 형(?)을 처리하려 한다. 사사건건 트집을 잡는 못된 계모도 어김없이 나온다. 계모는 일부러 사람을 고용해서 양아들(?)을 해치려 든다. 도대체 아침 드라마가 몇 개나 섞였는지 모르겠다. 남장여자를 짝사랑하는 소꿉친구 여자도 연적으로 등장한다. 그리고 계약 결혼물의 정석대로 주인공과 남장여자는 사랑에 빠진다. 막장 드라마답게 사건의 전개 속도가 굉장히 빠르기 때문에 머리를 비우고 보면 아주 재미있다. 줄거리의 개연성에 딱히 신경 쓰지 않는 독자분들께 과감하게 추천한다.

◆ 아사히 신문에도 실렸다, 백합 비주얼 노벨

앞서 〈옥상의 백합령씨〉를 짤막하게 언급했지만, 비주얼 노벨이 무엇인지 모르는 분들을 위해서 다시 설명한다. 잠시 네이버 지식백과의 설명을 인용하겠다.

"비주얼 노벨(Visual Novel)은 게임의 진행을 묘사함에 있어, 마치 소설처럼 텍스트(Text)의 비중이 극도로 높은 작품들을 총칭하는 장르명이다. 텍스트의 비중이 높다는 점에서 소설이나 전자책과 비슷하다고도 할 수 있지만, 비주얼 노벨은 텍스트에 그림과 음악을 곁들이고, 사용자가 이야기의 진행에 직접 관여할 수 있다는 점에서 차별화가 된다."

한국에서는 〈슈타인즈 게이트〉나 〈쓰르라미 울 적에〉로 많이 알려진 장르가 아닐까 싶다. 텍스트와 음악을 이용한 연출이 가능하기 때문에 소설과는 또 다른 색채를 지닌 장르이다. 대부분은 성우가 캐릭터를 맡아서 연기를 하게 되고, 텍스트의 배치나 색깔 등으로 색다른 연출을 자아내기도 한다. 다만 비주얼 노벨은 본토인 일본에서도 상당히 마니악한 장르이다. 백합 게임 하나는 1만 장이 팔린 후 아사히 신문에 기사가 실렸다. 1만 장도 제법 많이 팔린 축에 속한다는 이야기다. 그래도 방대한 세계관으로 빠져드는 그 매력만큼은 꼭 경험해 보셨으면 한다. 우선 가장 대중적인 작품이라고 할 수 있는 〈탐정뎐〉부터 소개하겠다.

〈탐정뎐〉은 조선 시대를 배경으로 하는 백합 추리물이다. 주인공인 희수가 남장여자로 등장하며 각종 사건을 해결하고 다닌다. 추리물이라고 너무 겁먹지 마시라. 추리 난이도는 그리 높지 않으며, 중요한 분기점에서는 저장하라는 안내까지 친절하게 해 준다. 기본적으로 로맨스보다는 사건 위주로 흘러가는 작품이라 입문자에게도 무난하게 권할 수 있다. 공략 캐릭터는 총 4명인데 담백한 우정부터 진한 로맨스까지 다양하게 맛볼 수 있다. 공략 순서는 크게 상관없지만 이왕이면 강유린 루트는 마지막에 하는 것을 권한다. 왜인지는 해 보시면 안다. 역사적 고증도 비교적 훌륭한 편이다. 당시의 한양 육조 거리나 풍속에 대한 묘사가 제법 생생해서 그 시대의 분위기를 한껏 맛볼 수 있다. 이렇듯 백합뿐만 아니라 시대물로서의 완성도도 훌륭하니 꼭 플레이해 보시기 바란다. 온갖 우여곡절을 거쳐 현재는 스팀에서 상시 판매 중이다.

〈Seabed〉는 백합 미스터리 비주얼 노벨이다. 사치코는 23년 지기 소꿉친구이자 연인인 타카코의 환영을 종종 본다. 둘은 사무실에서 같이 근무하기도 하고 함께 저녁을 먹기도 한다. 타카코는 이미 실종되었는데도 불구하고, 어디까지가 환영이고 어디까지가 현실인지 구별하기 쉽지 않다. 사치코는 또 다른 친구이자 정신과 의사인 나라사키에게 이 기현상에 대해서 상담하러 간다. 나라사키는 사치코를 도와 뒤엉킨 기억의 실타래를 하나하나 풀어간다. 여기까지가 도입부의 줄거리이다. 과거와 현재를 오가며 이야기가 진행되기 때문에 처음 플레이하는 사람은 조금 아리송한 느낌을 받을 수 있다. 웹소설에 익숙한 사람이라면 느린 전개 속도에 지루함을 느낄 수도 있다. 딱 서장이 끝날 때까지만 버텨 보시길. 그때부터 본격적으로 이야기가 흥미진진해지니까. 솔직히 〈쓰르라미 울 적에〉보다는 견뎌야 하는 구간이 훨씬 짧다.

전반적으로 잔잔하고 일상적인 장면이 이어지는 작품이다. 사치코와 타카코가 자주 여행을 다녔기 때문에 낮

선 거리의 풍경이나 자연의 아름다움을 묘사하는 장면도 많다. 사건보다는 서정에 초점을 맞춘 작품이라고 보아도 무방하다. 일본 영화나 소설에서 느껴지는 정적인 감성을 좋아한다면 자신 있게 추천한다. 이 게임을 플레이하면서 무라카미 하루키의 『상실의 시대』를 떠올렸다는 사람도 있었다. 얼핏 보면 의미 없는 장면들이 차곡차곡 쌓여서 한없이 깊고 서글픈 여운을 자아낸다. 이 게임을 끝까지 플레이한 사람들은 하나같이 해저seabed로 하염없이 가라앉는 느낌이라고 말한다. 스포일러를 피하기 위해서이기도 하지만 그만큼 감동적이라는 뜻이다. 일상적인 풍경이 이어지는 가운데 고요한 감정이 수면에서 일렁인다. 그러다가 그 감정의 파문이 걷잡을 수 없이 번져나간다. 사치코가 타카코를 얼마나 사랑했는지 플레이어가 깨닫는 바로 그 순간에. 최대한 스포일러 없이 소개하려니 이렇게 뜬구름 잡는 소리만 하게 된다. 시중에 한국어 패치가 나와 있으니 꼭 플레이해 보시길. 비주얼 노벨이 익숙하지 않은 사람이라면 전자책 버전이 있으니 소설로 읽으시면 된다.

〈옥상의 백합령씨〉는 앞에서 여학생 백합 작품으로 언급했기 때문에 여기서는 짤막하게 소개하고 넘어간다. 학교에서 보내는 일상을 담백하게 묘사하면서도 그 순간을 보석처럼 빚어내는 작품이다. 등장인물도 현실에 다들 있을 법한 아이들이라 하나같이 사랑스럽다. 예를 들면 카디건을 허리에 칭칭 감고 다니는 우미의 모습이 그렇다. 학창 시절을 돌이켜보면 저러고 다니는 여자아이가 꼭 하나는 있었다. 지각을 면하기 위해 허겁지겁 달려나가는 요우카도 마찬가지다. 교문을 닫으려는 선도부와 어떻게든 그 사이를 비집고 들어가려는 지각생의 육탄전은 모교에서는 흔한 풍경이었다.

그렇다고 해서 마냥 밝기만 한 작품은 아니고 인간관계의 어둡고 질척질척한 면모에 대해서도 충분히 다룬다. 6월에 메구미가 유나에게 속마음을 털어놓는 장면의 경우, 사치 씨를 좋아하는 메구미의 절절한 마음과 함께, 그 사랑이라는 감정이 얼마나 시린지에 대해서도 가슴 아프게 묘사한다. 거절을 잘 하지 못해서 온갖 자질구레한 심부름을 도맡아 하는 미키는 또 어떤가. 동급생들은 미키를 그저 편리한 심부름꾼 정도로만 취급한다. 그런데도 미키는 그것을 끊어내지 못한다. 미키가 이 딜레마를 어떻게 극복하고 나아가게 되는지는 게임을 하면서 직접 확인해 보시라.

〈백의성연애증후군〉은 신입 간호사인 사와이 카오리가 내과 병동에서 근무하며 동료 간호사 및 환자들과 엮이는 연애 시뮬레이션 게임이다. 원래 간호사와 환자의 연애는 의료 윤리에 어긋나지만 장르적 허용이라고 치고 넘어가자. 사와이가 간호사한테는 아주 기초적인 상식조차 모르는 것과 마찬가지다. 이 게임을 플레이한 실제 간호사의 감상을 종종 보게 되는데, 하나같이 이렇게 말하곤 했다. 간호대에서 다 배우고 나오는 내용인데 어떻게 이걸 모르냐고. 아무것도 모르는 플레이어의 눈높이에 맞추다 보니 사와이는 국가고시에서 외운 내용마저 다 잊어버리고 말았다.

사와이가 간호사가 되기로 결심한 계기는 어린 시절 당했던 사고 때문이다. 그녀는 교통사고를 당해 중상을 입었지만 현대 의료 기술 덕분에 간신히 살아남았다. 그래서 사와이는 의학에 진 빚을 갚기 위해 간호사가 되었다. 하지만 간호사 일은 그리 만만하지 않았다. 사와이는 실수를 해서 상사에게 호되게 혼나기도 하고, 좀처럼 나아지지 않는 업무 실력에 답답함을 느끼기도 하고, 처음으로 맡게 된 담당 환자에게 미숙한 일 처리를 빌미로 온갖 폭언을 듣게 된다. 이 담당 환자의 독설을 듣다 보면 플레이어가 사와이 대신 퇴사하고 싶어질 지경이다. 작중에서 사와이는 간호란 과연 무엇인가에 대한 고민도 종종 하는데, 시나리오 작가가 현직 간호사다 보니 현실감 넘치는 묘사가 두드러진다. 그렇게 사와이는 공통 루트 내내 일만 한다. 이것 때문에 일본에서도 꽤 호불호가 갈렸다. 여자끼리 연애하는 이야기가 보고 싶어서 샀는데 정작 주인공은 일만 열심히 하니까. 퇴근하고 나서 다시 출근하는 기분이라는 감상마저 보았다. 그나마 공략 캐릭터의 루트에 본격적으로 진입하면 연애의 비중이 확연히 높아진다. 그만큼 여성 간 연애가 차지하는 비중은 작중에서 그리 크지 않다. 사와이가 간호사로 일하다가 연애'도' 하는 게임이라고 소개해도 과언이 아니다.

또한 루트에 따라서는 스릴러나 판타지 요소가 조금씩 섞여 있다. 왜 스릴러나 판타지인지는 직접 해 보시면 안다. 치명적인 스포일러이기 때문에 여기서는 공통 루트에 등장하는 장면만 언급하고 넘어간다. 공통 루트의 막바지에서 사와이는 스토킹을 당한다. 그런데 이것을 묘사하는 방식이 참으로 섬뜩하다. 어느 날 사와이에게 전화가 한 통 걸려 온다. 통화 버튼을 눌러도 상대는 계속 침묵한다. 사와이가 잽싸게 끊어도 그 전화는 끊임없이 걸려 온다. 직접 플레이해 보면 배경 음악과 맞물리면서 등줄기가 오싹해진다. 모 캐릭터의 루트로 들어가면 이 스토킹이 점점 심해지면서 사와이도 정신적으로 막다른 구석에 몰리는데 망가져 가는 사람 특유의 심리묘사가 일품이다.

이처럼 이 게임은 인간의 어두운 면까지 가차 없이 표현한다. 간호사나 환자가 갖는 마이너스 감정도 당의정을 입히지 않고 고스란히 묘사한다. 애초에 병원은 생사의 갈림길에 선 공간이다. 그만큼 인간의 오욕칠정이 노골적으로 드러난다. 연애에서도 예외가 아니다. 이 게임은 때로는 사랑이라는 이름으로 얼마나 불합리한 폭력이 자행되는지 깊게 파헤친다. 사랑의 이면을 다룬다고 해도 과언이 아니다. 특히 노멀 엔딩이나 배드 엔딩에서 썩은 맛의 정수를 느낄 수 있다. 한국어 패치를 배포한 사이트에 공략이 있으니 참고하시길. 그 어떤 엔딩을 맞이해도 사와이는 퇴사하지 않는다. 눈이 오나 비가 오나, 심지어는 계단에서 굴러떨어지더라도 다음 날에는 묵묵히 출근한다. 가히 이 시대 직장인의 귀감이라 할 만하다.

여담이지만 게임 안에서는 계속해서 팬티 이야기가 나온다. 이 작품의 간호사들은 왜 간호 스테이션에 모이기만 하면 팬티나 속옷 이야기를 하는지 알 수 없다. 나기사 선배가 귀여운 줄무늬 팬티를 즐겨 입는다는 사실을 플레이어가 굳이 알 필요는 없는데 말이다. 이런 소재에 거부감이 있다면 플레이하지 않기를 바란다.

◆ 트랜스젠더가 등장하는 백합 작품

먼저 용어 설명부터 하고 넘어가자.

트랜스젠더: 태어났을 때 지정된 섹스 또는 젠더가 본인의 젠더 정체성과 일치하지 않는 사람을 일컫는 포괄적 용어.[*]

시스젠더: 태어날 때 지정된 섹스 혹은 젠더가 젠더 정체성과 일치하는 사람.[**]

당시는 MTF[***] 트랜스젠더 레즈비언이 주연으로 등장하는 단편 소설을 쓰기 위해 이것저것 알아보던 차였다. '게이만 빼고 다 나오는 현실 밀착형 백합 퀴어 소설'인 프로파간다 시리즈에 끼워 넣기 위해서였다. 지금도 마찬가지지만 그때는 트위터에서 주기적으로 격렬한 트랜스젠더 혐오가 불거져 나왔다. 어느 GL 웹소설 작가가 트랜스젠더 혐오를 만천하에 드러낸 사건도 있었다. 어떻게든 도움이 되고 싶어서 고민하던 와중에 트랜스젠

* 슐리 마델, 『LGBT+ 첫걸음』, 팀 이르다, 봄알람, 2017, p.24

** 애슐리 마델, 같은 책, p.16

*** 트랜스 여성이라고도 한다. 태어났을 때 남성으로 지정되었으나 성별 정체성은 여성인 트랜스젠더를 가리킨다.

더 백합 소설을 써 줄 수 없겠느냐는 부탁을 받았다. 백합 소설 작가로서는 당연히 거절할 이유가 없었다. 그래서 트랜스젠더 레즈비언을 다룬 백합 작품을 기를 쓰고 찾아보기 시작했다. 하지만 이게 웬걸, 없어도 너무 없었다. 범위를 영화나 드라마, 퀴어 소설로 넓혀도 마찬가지였다. 힘들게 구해서 작품을 보았지만 하나같이 마음에 드는 재현은 아니었다.

이를테면 소녀 만화인 『하프 앤 하프』는 주인공이 짝사랑하는 상대가 트랜스젠더 여성이지만, 마지막까지 그녀를 첫사랑 남자아이로 보는 시각에서 벗어나지 못했다. 소녀 만화의 이성애 규범성에서 끝내 자유롭지 못했던 것이다. 일본 드라마인 〈여자적 생활〉*은 주인공인 미키가 MTF 레즈비언이다. 시스젠더 여성인 유이와 로맨틱한 관계를 맺는 장면도 있다. 하지만 이 드라마는 여성 둘의 로맨스에 큰 비중을 두지 않는다. 미키의 가족 이야기나 관찰자인 고토와의 우정에 더 치중한다. 물론 성 소수자를 다루는 드라마로서는 나름대로 완성도가 높다. 미키가 동성애자이자 트랜스젠더 여성으로 살아가면서 참고할 만한 역할 모델이 없어서 고민하는 장면도 있

* 한국에서 정식으로 판권을 들여온 작품은 아니다

으니까. 그저 이 작품을 백합으로 소개하기 조금 애매할 뿐이다. 『카시마시』의 하즈무를 트랜스젠더 여성으로 보는 해석도 있었지만, 개인적으로는 동의할 수 없었다. 하즈무 본인이 자신을 어느 성별로 생각하는지 작중에서는 끝까지 애매하게 처리한다. 게다가 작가는 섹스의 가능성이 없는 순수한 사랑을 구현하기 위해 하즈무를 여자아이로 만들었다고 한다.* 여성 간의 섹스 가능성을 '없다'고 보는 시점에서 전형적인 동성애 혐오가 아닌가. 음경이 없으니 여자끼리는 섹스가 아예 불가능하다는 식이다. 이런 작품을 굳이 백합으로 쳐 주고 싶지는 않다. 애초에 TS물은 트랜스젠더 당사자들 사이에서도 호불호가 극명히 갈리는 장르라고 알고 있기도 하고.

그러던 중 만화 「머메이드 라인」이 한국에 정식 발간되었다. 협의의 백합 상업 작품 중에서는 사실상 유일하다. (물론 시무라 타카코의 『방랑소년』에도 트랜스 여성인 슈이치와 시스젠더 여성의 로맨스가 나오지만, 그것이 중심 소재는 아니다.) 단편집인데 그중 단편 두 개가 트랜스젠더이자 레즈비언인 인물을 다룬다. 앞서 언급한 작품보다는 확실

* "The History and Future of Transgender Representation in Yuri - The Secret Garden, January 2021"
출처 https://www.patreon.com/posts/history-and-of-45495024

히 괜찮은 재현이다. MTF 트랜스젠더 레즈비언이 가장 많이 받는 오해인 "그럴 거면 뭐 하러 성전환을 하느냐."에 대해서도 확실하게 대답한다. 가만히 있어도 이성 간 로맨스로 읽히는데 왜 굳이 성전환을 하느냐는 뜻이다. 연인인 아유미가 던지는 이 질문은 성적 지향과 성별 정체성을 구별하지 못하는 데서 기인한다. 성별 정체성(Gender identity)은 간단히 말해 침대에 누구로서(as) 자러 가는지를 나타낸다. 반면 성적 지향(Sexual orientation)은 침대에 누구와 함께(with) 자러 가는지를 가리킨다. 〈Gender revolution〉이라는 다큐멘터리에서 나온 설명인데 다소 거칠지만 쉽게 이해가 가는 설명이라 인용했다. 류스케는 성별 정체성이 여성이고(작중에서는 멘탈이 여성이라는 말이 나온다.) 성적 지향은 레즈비언이다. 그녀는 아유미를 향해 단호하게 말한다. "나는 여자로서 너를 사랑하고 싶다."고. 그 지점만큼은 높게 쳐 주고 싶다.

단지 이 작품은 소녀 만화와 백합의 과도기상에 있는 작품이라 아쉬운 점도 군데군데 보인다. 이를테면 여자 둘이서 결혼하지 못한다는 사실을 무슨 절대적인 장벽처럼 묘사한다. 아유미는 류스케에게 호적상으로도 여성이 되면 결혼하지 못하니 성별 정정은 하지 말아 달라고 한다. 얼핏 보기에는 낭만적인 결말이다. 하지만 호적상의 성별과 실제로 살아가는 성별이 다르면 일상생활에서 엄청난 불편함을 야기한다. 일례로 관공서에서도 본인이 맞는지 수차례 확인을 시킨다. 여기서 끝나면 다행이고 자칫하면 혐오 발언이나 폭력에 노출될 수도 있다. 아유미가 이 사실을 알고서 그런 부탁을 했다고 보기는 힘들다. 이처럼 한계가 있는 작품이지만, 그래도 제법 준수한 재현이기에 여기 소개한다. 이 작품에다 대고 '트랜스젠더 나옴(호르몬, 수술 ×)'이라고 무슨 주의사항처럼 댓글을 다는 사람도 있던데 제발 그러지 말자. 트랜스젠더의 존재는 호불호의 영역이 아니니까.

트랜스젠더를 다룬 백합 작품 중에서는 〈버터플라이 수프Butterfly soup〉가 가장 마음에 든다. 이 작품은 백합 비주얼 노벨 게임이다. 주연인 민서가 여성형 대명사(she, her)를 쓰는 논바이너리 트랜스젠더이다. 쉽게 말해 남성도 여성도 아닌 성별이라는 뜻이다. 실제로 민서는 성별 고정 관념에 대해 격렬한 거부 반응을 보인다. 여자 화장실 대신 멀리 떨어진 성 중립 화장실을 이용하기도 한다. 성 중립 화장실이란 성별에 상관없이 누구나 이용할 수 있는 화장실이다. 그래서 엄밀히 따지자면 백합 장르에 속한다고 말하기는 힘들다. 백합은 어디까지나 '두 여성'의 관계를 주축으로 하는 장르니까. 하지만 이 게임의 다운로드 사이트에는 Yuri(백합의 일본어 음차)라는 태그가 버

것이 달려 있다. 그리고 이 작품은 민서와 디야의 로맨스뿐만 아니라 다른 여자아이들과 맺는 우정도 제법 비중 있게 다룬다. 넓은 의미의 백합으로 보기는 충분하다.

이 게임은 야구를 하고 싶어하는 10대 퀴어/여자들의 이야기다. 학창 시절의 운동장을 떠올려 보자. 남자애들은 축구를 하고 여자애들은 벤치 한구석에 모여앉아 수다를 떤다. 초등학교 시절에는 여자애들이 그나마 피구라도 했지만 상급 학교로 올라갈수록 운동장은 점점 남자애들만의 전유물이 된다. 올림픽에서 여성 선수들이 맹활약을 펼치고 있지만, 여전히 스포츠는 남성의 전유물인 것처럼 여겨진다. 주인공인 민서와 디야는 어린 시절부터 야구를 좋아했지만, 남자애들은 여자라고 대놓고 무시한다. 사람들과 대화하는 것이 두려운 디야는 그것을 듣자마자 도망친다. 민서는 디야를 쫓아가서 이렇게 말한다. 포기하지 말라고, 네가 포기하지 않으면 나도 포기하지 않겠다고. 얼마 지나지 않아 민서는 부모님을 따라 다른 곳으로 이사를 간다. 그리고 수년 뒤에 민서가 디야가 사는 곳으로 돌아오면서 이야기가 다시금 막을 올린다. 둘이 다니는 고등학교에 때마침 야구 동아리가 만들어진 것이다.

야구는 결국 팀 스포츠이다. 함께하다 보면 어떤 식으로든 연대감이 싹튼다. 절대로 친구가 될 것 같지 않았던 노엘과 민서도 야구를 통해서 친구가 된다. 디야는 대인 공포증을 어느 정도 극복하고 민서에 대한 감정도 더더욱 깊어진다. 둘은 야구 만화에서 흔히 나오는 배터리(포수와 투수를 묶어서 한데 부르는 말)이다. 이걸 남자가 아닌 사람들의 이야기로 보니 느낌이 색달랐다. 단지 성별을 바꾸는 것만으로도 이렇게나 달라진다. 야구가 중요한 소재이고 클라이맥스가 경기 장면이기 때문에 간단한 야구 규칙은 알아 두시는 게 좋다. 작품 안에서 설명해 주기는 하지만 규칙을 알면 더 실감 나게 즐길 수 있으니까.

제목이 〈버터플라이 수프〉인 이유는 마지막에 가서야 나오는데 이 부분은 직접 플레이하면서 확인할 수 있다. 힘겨운 학창 시절을 거쳐 왔던 사람들에게 아주 직접적인 위로의 메시지를 전달하는 게임이다. 그 이유를 알고 나니 다소 산만하게 느껴졌던 작중 인물들의 대화도 그제야 납득이 갔다. 정도의 차이는 있을지언정 우리는 누구나 정신없고 엉망진창인 성장기를 거치게 되니까. 플레이 시간도 4시간 남짓으로 짧으니 부담 없이 플레이해 보시기 바란다. 부모에 의한 언어적, 정서적 학대를 묘사하는 장면이 약간 있으니 그 부분은 주의가 필요하다.

〈A year of springs〉 역시 비주얼 노벨 게임이다. 세 개의 이야기로 구성된 연작인데 첫 번째 이야기의 주인공이 트랜스젠더 여성인 하루이다. 두 번째 이야기에서 에리카와 하루가 서로에게 끌리게 되지만, 작품 전체로 놓고 보면 여성 간 로맨스의 비중이 그리 높지 않다. 스팀에서는 이 작품에 대해 이렇게 설명한다. "세 명의 친구들이 사랑, 공감, 그리고 단지 함께하고 싶어하는 감정에 대한 방향을 찾아 나가는" 이야기라고. 넓은 의미의 백합으로 충분히 볼 수 있어서 여기 소개한다.

트랜스젠더 여성인 하루가 소꿉친구인 마나미의 부탁으로 온천에 가면서부터 이 3부작의 막이 오른다. 하지만 하루는 아직 법적인 성별 정정을 거치지 않았기 때문에 여러 난관에 부딪힌다. 이런 난관은 두 번째 이야기에서도 여전히 이어진다. 에리카는 하루의 생일을 축하하기 위해서 스파를 예약하려 하지만, 연락하는 족족 거절당한다. 하루의 자존감이 여전히 낮아서 안타까웠다. 굳이 스파로 가야 했나, 평범한 레스토랑으로 가면 안 되나 하는 생각도 들었다. 하지만 그러면 이 시리즈가 애초에 나오지도 않았을 것이다. 시스젠더라면 아무 문제가 없지만 트랜스젠더라면 문제가 되는, 바로 그 상황을 비판하기 위해서 만들어진 게임이니까. 또한 에리카를 통해서 앨라이(연대자)가 빠지기 쉬운 함정에 대해서도 다룬다. 타인의 고통을 이해했다고 착각하면 안 된다. 소수자로서 겪는 고통은 특히나 그렇다. 일단 자신이 모른다고 제대로 인정해야 그에 맞춰서 상대를 배려할 수 있다.

세 번째 이야기는 하루의 친구인 마나미가 주인공이다. 평범한 시스젠더 이성애자 여성으로 보이던 마나미는 알고 보니 무성애자였다. 마나미가 남자 친구에게 솔직하게 이야기하는 장면에서 굉장히 긴장했다. 혹시라도 안 좋은 소리를 들을까 봐. 평범한 이성애자 남성이라면 "너는 과연 나를 사랑하긴 하니?"부터 시작해서 "하지만 언젠가는 (섹스를) 할 수 있지? 기다릴게"라고 대답해도 전혀 이상하지 않다. 심지어 그 자리에서 바로 차일 가능성까지 생각했다. 하지만 이 게임은 상당히 따뜻한 세계관이었다. 모범 답안(?)인 "나한테 말해 줘서 고마워."가 나와서 진심으로 안도했다. 이렇듯 각자의 정체성을 존중하는 분위기 덕분에 비교적 편하게 플레이할 수 있다. 사실 성소수자라고 해도 다른 성소수자에 대해서는 잘 모르는 경우가 많다. 이 게임을 계기로 다른 성소수자에 대해서 알아가는 것도 나쁘지 않다.

여담이지만 내 단편 소설은 결국 실존 인물을 바탕으로 적당히 허구를 섞어서 완성했다.* 솔직히 말하자면 그

* 제목은 「프로파간다에서 화장실 로맨스 착즙하기」이다. 현재는 출간으로 인해 웹상에서 삭제했다. <일곱 개의 원호>라는 퀴어 문예지에서 연재 중이다. 현재 3호까지 출간되었다.

다지 친한 사람은 아니었지만, 어느 날 갑자기 모든 연락처를 지우고 사라져서 묘하게 눈에 밟혔다. 부디 행복하게 지냈으면 하는 마음을 담아서 소설은 해피엔딩으로 끝맺었다.

◆ 가볍게 볼 수 있어서 좋다, 일상계 백합

일상계(혹은 공기계)는 여고생의 일상을 주로 다루는 일련의 작품군을 가리킨다. 한국에서는 어째서인지 미소녀 동물원이라는 비하어로 더 잘 알려져 있다. 『아즈망가 대왕』이나 『러키☆스타』, 『케이온!』 등이 대표적인 예시이다. 이러한 작품은 여자만 나오는 특성상 백합 2차 동인이 많았다. 그리고 『유루유리』의 폭발적인 흥행으로 인해 확고하게 백합 장르 아래로 편입되었다. 현재는 '일상계 백합'이라는 소분류를 형성했을 정도이다. 일상계 작품은 〈망가타임 키라라〉라는 잡지에서 주로 연재되기 때문에 편의상 '키라라 계열'이라고 부르기도 한다.

1부에서도 말했듯이 일상계는 백합 장르의 주류는 아니다. 일상계의 기원에 대해서는 일본에서도 여러 가지

설이 있다. 세카이계*의 후예라는 설도 있고, 한 남자한테 여러 여자가 엮이는 소위 '하렘물'에서 남자 주인공이 빠진 형태라는 설도 있다. 어느 쪽이든 여성향인 소녀 만화와 소녀 소설의 계보를 따르지는 않는다. 일상계는 소위 '모에' 계열 작품이기 때문에 기본적으로 남성향에 가깝다. 그림체에 데포르메(대상의 일부를 변형하여 표현하는 기법)가 심하게 들어갈수록 남성향이기도 하고, 『유루유리』가 연재된 〈코믹스 유리히메S〉라는 잡지도 남성 독자의 비율이 더 높았다. 〈코믹스 유리히메S〉는 〈코믹스 유리히메〉의 자매지였다. 결국은 폐간되었는데 둘 다 보는 사람들이 많아졌기 때문이라고 한다.** 누누이 강조하지만 여성향과 남성향은 일종의 표현 기법 내지는 장르 문법에 가깝기 때문에 여성 독자도 남성향을 볼 수 있고, 남성 독자도 여성향을 볼 수 있다. 그러니 일상계 백합이 비교적 남성향이라고 해서 배척할 필요는 전혀 없다.

게다가 일상계만의 장점이 분명히 존재한다. 바로 등장인물 사이의 갈등 요소가 전혀 없다는 것이다. 이게 왜

* "신세기 에반게리온의 영향을 받아 1990년대 후반부터 2000년대에 제작된, 거대 로봇이나 전투 미소녀, 탐정이 등장하는 오타쿠 문화와 매우 가까운 작품군으로 젊은이(특히 남성)의 자의식을 묘사하는 작품"을 가리킨다. 마에지마 사토시前島賢, <세카이계란 무엇인가セカイ系とは何か>, 소프트뱅크 신서 125, 2010년, p.129-130.

** <COMITIA INFORMATION MAGAZINE ティアズマガジン98>, COMITIA実行委員会, 2011年10月, 62頁.

장점인지 모르겠다고? 직장인이라면 퇴근하고 나서도 부담 없이 볼 수 있다. 보면서 감정 소모가 전혀 없기 때문이다. 게다가 여성 독자들이 학창 시절을 떠올리며 공감할 수 있는 요소가 생각보다는 많다. 『케이온!』 애니메이션판도 여성 스태프를 대거 투입하면서 여성 시청자에게 호평을 이끌어냈다. 『러키☆스타』나 『케이온!』은 워낙 잘 알려진 작품이기 때문에 여기서는 『새내기 자매와 두 사람의 식탁』과 『유루캠』만 따로 소개한다.

『새내기 자매와 두 사람의 식탁』에 등장하는 자매는 부모의 재혼으로 맺어진 관계다. 둘의 부모는 고등학생 여자아이 둘을 한집에 남기고서 해외로 떠난다. 사치는 어제까지만 해도 생판 남이던 아야리와 이제 한집에서 살아야 한다. 아야리의 특기가 요리여서 둘은 이런저런 음식을 만들어 먹으면서 서서히 가까워진다. 특히 친구가 별로 없던 아야리는 요리를 통해 새로운 친구를 만나며 세계를 점점 넓혀 간다. 일종의 소녀 성장물로도 충분히 볼 수 있다.

이 작품은 노골적으로 백합 코드(일종의 양식)를 여기저기 깔고 들어간다. 둘은 요리하다 말고 느닷없이 서로를 그윽하게 쳐다보며 로맨틱한 분위기를 연출한다. 보는 사람이 약간 부담스러울 정도다. 앞서 말했듯이 일상계가 백합 장르 아래로 편입되었기 때문에 가능한 연출이다. 그래서인지는 모르겠지만 이 작품은 리디북스에서 GL 카테고리로 재분류되었다. 원래는 순정만화 카테고리에 있었다. 한국에서는 철저하게 로맨스가 중심 소재인 작품만 GL 카테고리에 넣는 경향이 있었지만, 이것도 서서히 정의가 넓어지는 추세다. 이미 로맨스물이 아닌 『마리미테』도 당당하게 GL 카테고리 한복판을 차지하고 있으니 어찌 보면 당연한 일이다.

원작은 만화이지만 드라마로 실사화가 이루어졌다. 개인적으로는 드라마도 추천한다.* 요리의 생생한 시청각 효과를 즐길 수 있기 때문이다. 식칼로 재료를 써는 소리, 기름에 튀겨지는 소리, 요리의 화려한 색상, 그리고 갓 만들어진 요리를 한입 베어 무는 모습까지. 보다 보면 괜히 입가에 군침이 돈다. 배고플 때는 절대로 보지 마시라. 둘이 먹는 그라탕에 홀린 나머지 배달 앱에서 밤 11시에 그라탕을 검색하는 불상사가 벌어질 수 있다. 다행히 집 근처에 그라탕을 파는 가게가 없어서 야식은 먹지 않았다. 이렇듯 백합은 물론이고 요리 만화로서의 완성도도 높으니 가벼운 마음으로 보시기 바란다.

* 왓챠나 웨이브에서 볼 수 있다.

『유루캠』은 여자 고등학생들이 캠핑을 즐기는 일상계 만화이자 애니메이션이다. 『새내기 자매와 두 사람의 식탁』과는 달리 대놓고 노린 백합 코드는 없지만, 그만큼 담백한 일상을 느낄 수 있다. 나데시코가 새로 이사 온 동네에서 후지산을 보겠다고 무작정 길을 떠나면서 이 작품은 막이 오른다. 때마침 혼자서 캠핑을 즐기던 시마 린은 우여곡절 끝에 나데시코와 함께 후지산 근처에서 하루를 보낸다. 나데시코는 그 일을 계기로 캠핑에 관심을 갖게 되고, 학교에서 캠핑 관련 동아리에도 가입한다.

원작은 만화지만 개인적으로는 애니메이션을 추천한다. 캠핑을 주요 소재로 다루는 만큼 배경 작화에 유독 힘을 주기 때문이다. 한 폭의 풍경화를 감상하는 느낌이라 보다 보면 감탄사가 절로 나온다. 그 풍경도 실로 다양하다. 하늘 높이 솟아오른 후지산, 호수의 수면에 비친 단풍, 밤하늘 밑으로 드넓게 펼쳐진 도시의 야경, 해가 지면서 한쪽만 붉게 물든 하늘, 인적이 드문 목장 등등. 보는 것만으로도 마음이 홀가분해진다. 1기 후반부에 린은 운전면허를 따고서 이곳저곳으로 여행을 다닌다. 그 지역의 관광 명소나 그곳에 얽힌 전설, 특색 있는 먹거리도 같이 소개해 주는데 린과 함께 여행을 떠나는 기분마저 든다. 좀처럼 여행을 떠나지 못하는 코로나19의 시대에 대리만족을 선사했던 작품이다. 게다가 캠핑 하면 역시

야외에서 해 먹는 요리가 빠질 수 없다. 정석적인 카레는 물론이고 스테이크며 스키야끼까지 나오는데, 먹음직스러운 작화가 입안에 군침이 고이게 한다. 작중에서 나데시코가 진심으로 맛있게 먹기 때문에 더욱더 그렇다. 여러모로 매력적인 작품이니 꼭 감상하시길.

◆ 백합과 다른 장르의 결합

백합은 기본적으로 두 여자의 관계를 다루는 장르이다. 이 대전제를 어기지 않는다면 언제든지 다른 장르와 결합할 수 있다. 불과 얼마 전까지만 하더라도 기껏해야 다른 장르에서 백합 요소를 찾아볼 수 있는 정도였지만, 이제는 다르다. 일본에서는 SF와 백합을 적극적으로 융합한 'SF 백합'이 제법 인기이다. SF 백합 앤솔러지까지 따로 나올 정도이다. SF 작가로 유명한 한나 렌은 〈코믹스 유리히메〉에 짤막한 SF 백합 소설을 연재하기도 했다. 한나 렌의 단편집은 한국에서도 정식으로 발간되었으니 관심이 있다면 찾아볼 수 있다. 단, 이성 간 로맨스를 다루는 작품도 중간에 섞여 있기 때문에 SF 백합 작품이라고 부르기는 애매하다. 한국에서도 SF는 물론이고 시대물이나 판타지, 때로는 누아르와 결합한 백합 작품이 종종 나오고 있다. 그중 몇 작품만 추려서 소개한다.

『오류가 발생했습니다』는 엄밀히 따지면 GL 카테고리에 속한 작품은 아니다. 하지만 모 사이트에서 연재하던 시절 작가가 분명히 'SF 백합'이라고 공언했다. 정식으로 출판되면서 그 소개 문구가 삭제되었을 뿐이다. 다만 읽다 보면 이 세계관에서 과연 성별이란 무엇인가 하고 질문하게 된다. 이 세계에서는 유성 생식이 아무런 의미가 없고 공장에서 인간이 대량 생산되며, 신체의 일부는 언제든지 기계로 대체될 수 있다. 이러한 세계관에서는 성기의 형태나 분비되는 호르몬으로 성별을 구별할 수 없다. 애초에 성별이라는 개념이 있는지도 의문이다. 그렇다면 과연 이들을 여성이라고 불러도 괜찮은가, 애초에 여성이란 무엇인가? 독자는 읽는 내내 그런 질문과 씨름할 수밖에 없다.

또한 이 작품은 인간과 기계의 경계선에 대해서도 질문하게 만든다. 사실 작품 속에서 퀴어하게 느껴지는 부분은 성별보다는 오히려 이쪽이었다. 모종의 사정에 의해 인간은 기계인 연인과의 사이를 숨기려고 든다. 실제로 현실에서 동성 커플들이 그러는 것처럼 말이다. 그렇지만 이 세계에서는 인간이 육체를 기계로 대체하는 일이 비일비재하다. 심지어 원래 육체는 고깃덩어리처럼 취급하고 오히려 기계를 선호한다. 등장인물이 죄다 일종의 사이보그인 셈이다. 그렇다면 인간과 기계의 경계선은 과연 어디에 그을 수 있을까. 그런 질문에 대해서 고민하는 것이 SF의 묘미이기도 하다. 주인공 둘의 사랑 이야기가 서사에서 큰 축을 차지하고 있기 때문에 백합 소설로서도 충분히 재미있다. 세계관이 무척 매력적인 작품이니 꼭 읽어 보시라.

「별마다 피어나리」는 손장원 작가님의 SF 백합 만화 단편집이다. 책 소개대로 따뜻하고 잔잔한 이야기들이 펼쳐지는데 하나같이 완성도가 뛰어나다. 우주를 배경으로 한 SF 단편도 나오고, 전래 동화에다 SF를 섞어 재해석한 단편도 나온다. 후자는 분명히 배경은 조선 비슷한 공간인데 외계인이나 기계 문명이 등장해서 굉장히 독특한 느낌을 주는 세계관이다. 등장인물도 하나같이 개성적이다. 인간만이 아니라 여성형 외계인이나 인공 지능도 종종 등장한다. 인공 지능이라고 하면 굉장히 차갑고 기계적인 인상을 떠올리지만, 이 책의 인공지능은 더없이 인간적이다. '인외(비인간) 백합'을 좋아하는 분이라면 꼭 보시기 바란다.

《메이드 인 헤븐》은 공포/스릴러와 백합을 섞은 웹툰이다. 작품 속에는 해안 절벽에 위치한 수상한 대저택이 하나 등장한다. 빽빽한 숲이 저택을 둘러싸고 있고 외부와의 연락 수단도 편지 외에는 없다. 마을로 나가려 해도 하나뿐인 다리를 건너야 한다. 추리물에서 많이 나오는 익숙한 설정이다. 주인공인 셜은 부모님에 대한 단서를 찾기 위해 이곳에 메이드로 취직하게 된다. 그런데 날이 갈수록 이상한 일들이 연이어 일어난다. 끊임없이 악몽을 꾸게 되고 무엇보다도 사람이 하나둘씩 죽어 나간다. 셜은 과연 이곳에서 무사히 살아 나갈 수 있을까?

여기까지만 읽으면 왜 이 작품이 백합으로 소개되는지 의문이 들 법도 하다. 하지만 1부 마지막까지 읽어 보면 분명히 백합이 맞다. 등장인물들의 행위에는 깊고도 어두운 사랑이 뿌리까지 배어 있다. 사랑이 아니라면 저렇게까지 하기 힘들었을 것이다. 이렇게 두루뭉술하게 쓸 수밖에 없는 이유는 직접 보시면 안다. 스포일러가 워낙 치명적인 작품이기 때문이다. 둘의 감정은 누가 보아도 사랑이니 카테고리 분류를 믿고 보셔도 된다.

「제인 우드」는 19세기 영국을 배경으로 한 시대물 백합 웹소설이다. 이 작품은 제목에서부터 로맨스의 고전인 『제인 에어』를 떠올리게 하는데, 사실 이 작품 외에도 여러 작품이 섞여 있다. 『빨간 머리 앤』과 『작은 아씨들』 같은 19세기 서양을 배경으로 한 고전 문학을 좋아한다면 즐겁게 읽을 수 있다. 시대적 고증도 상당히 훌륭한 데다가 영미 문학 특유의 번역체도 고스란히 살아 있다. 주인공인 제인이 엘리시아의 저택에서 가정교사로 일하기 시작하면서 이 소설은 본격적으로 막이 오른다. 여기까지는 『제인 에어』와 흡사하다. 하지만 웹소설인지라 사건 전개 속도가 훨씬 빠르다. 쉴 새 없이 사건이 터지기 때문에 독자는 지루할 틈이 없다. 게다가 GL이라는 장르의 특성상 등장인물의 대부분이 여자이다. 로맨스 소설의 남자 주인공이 주로 맡았던 역할도 여성이 대신 차지한다. 엘과 제인의 관계를 가만히 들여다보면 여자끼리 사랑한다고 해도 완전히 평등한 관계는 불가능하다는 사실을 알 수 있다. 엘은 제인을 성녀라고 여기며 언제나 숭배한다. 제인은 틈만 나면 자신은 엘이 없으면 아무것도 아니라고 독백한다. 더없이 낭만적인 사랑이지만 독자로서는 제법 버겁게 느껴진다. 둘뿐만 아니라 작중에 등장하는 다른 여성 커플도 하나같이 목숨을 건 사랑을 한다. 사랑의 처절한 무게를 느껴 보고 싶다면 이 소설만으로도 충분하다. 현실에서는 시도하지 말자.

또한 이 소설은 상당히 급진적인 내용을 담고 있다. 무려 19세기에 여성 성노동자가 파업을 주도하니까. 그뿐만이 아니다. 여성 투표권 운동을 하는 여성, 여성이 의회에 진입해야 한다고 주장하는 여성, 여성이 판사가 되어야 한다고 주장하는 여성, 남장 보디가드로 일하는 여성, 그야말로 별의별 여성이 등장해서 시대의 숨결을 느끼게 한다. 이중 마담 피트라는 인물이 유독 존재감을 드러낸다. 그녀는 남장여자로 이루어진 폭력 조직의 수장으로서 대놓고 국가의 폭력 독점을 비판한다. 그녀는 여성에게 금지된 폭력을 마음껏 휘두르는 것도 모자라 거들먹거리는 공권력의 질서를 한바탕 뒤흔들어 놓는다. 이렇듯 '빨간 맛'을 제대로 느낄 수 있는 소설이니 꼭 읽어 보시기 바란다.

「수룡의 신부」는 GL 웹소설에서는 보기 드문 동양풍 판타지이다. 이 세계에서는 아주 당연하게 여자가 가주가 되며, 심지어 그 가문인 연가는 대대로 수룡의 비호를 입어 부귀영화를 누렸다는 설정이다. 주인공인 정인은 연가를 모시는 하인이다. 정인은 하인답게 조용히 살아가고 싶었지만, 가문의 쌍둥이 아가씨인 연화와 연수가 쉴 새 없이 정인을 유혹한다. 정인은 둘 사이에서 이리 치이고 저리 치인다. 얼핏 보면 양손의 꽃이지만 그 꽃이 죄다 상사라면 상황이 달라진다. 그러다 연화의 계승식에서 일어난 사건을 계기로 정인은 익숙한 일상을 벗어나 낯선 세계로 떠나게 된다. 쌍둥이 자매의 계승 시험에 동행하게 된 것이다. 어찌 보면 신화의 구조와 비슷하다.

셋은 수룡을 만나기 위해 여행을 떠나지만 어째 길이 순탄치가 않다. 셋은 온갖 사건에 휩쓸리게 된다. 뒤에 무슨 내용이 이어질지 생각보다 잘 예측이 안 돼서 흥미진진하게 읽었다. 정인이 연화와 연수 모두에게 골고루 마음을 쓰는 편이라 누구와 이어질지 예상해 보는 재미도 있다. 수룡의 과거나 쌍둥이 자매의 비밀이 밝혀지는 장면은 몰입도가 실로 대단했다. 이 소설이 단권인 게 아쉬울 지경이다. 전연령 소설이라서 청소년도 부담 없이 읽을 수 있다.

「영웅 바이 영웅」은 백합 현대 판타지 웹소설이다. 정확히 말하자면 2000년대에 남성향에서 유행했던 '이능력 배틀물'의 문법을 따른다. 소년 만화인 『샤먼 킹』이나 애니메이션인 〈로젠 메이든〉, 혹은 〈마이히메〉를 떠올리면 이해하기 쉽다. 주인공인 유진은 평범한 고등학생이었지만, 초능력을 자각한 그날부터 공무원인 '대행자'가 된다. 이 대행자의 임무란 하나밖에 없다. 시시때때로 인천에 출몰하는 빌런인 '무법자'를 때려잡는 것이다. 무법자가 유독 인천에만 출몰하는 것이 아니라 작중 배경이 인천이기 때문이다. 대행자는 제대로 된 훈련도 없이 바로 실전에 투입되는데, 여러모로 헬조선다운 배경 설정이다. 이능력 배틀물답게 전투에서 이기려면 상대가 지닌 이능력의 빈틈을 찾아서 파고들어야 하는데, 그 부분이 상당히 흥미진진하다. 게다가 대행자는 문자 그대로 처절한 사투를 벌인다. 한 번 전투에 나갈 때마다 종합병원의 집중치료실 신세는 기본이다. 그만큼 액션 묘사도 생생하고 본격적이다. 여성이 주인공인 액션물을 좋아하시는 분에게 강력 추천한다.

주인공인 유진이 미성년자이라 로맨스 분량은 상대적으로 적은 편이다. 앞서 다른 장에서 언급했지만, 한국에서 미성년자를 대상으로 한 성애 묘사는 사실상 불가능하다. 하지만 진화는 유진을 위해서라면 죽음조차 두려워하지 않는다. 유진 역시 과거에 사로잡힌 진화를 구하고 싶어한다. 그 둘은 누구보다도 서로를 위하며 배려한다. 이것 또한 엄연히 사랑을 이루는 요소이다. 또한 중반부에 등장하는 권규은은 소위 '크레이지 싸이코 레즈비언'이다. 그녀는 모종의 사정으로 인하여 선배인 진화를 동경하고 숭배한다. 진화를 만나기 이전의 자신은 죽었다는 말까지 한다. 심지어 진화의 일거수일투족을 알기 위해서 온갖 불법적인 일까지 저지른다. 사랑이라기보다는 집착이나 소유욕에 가까운 감정이다. 유진은 그 모습을 보면서 내심 섬뜩함을 느낀다. 이런 뒤틀린 짝사랑에 흥미를 느끼는 분도 즐겁게 읽을 수 있을 것이다.

《해구》는 여성 누아르*이자 GL 웹툰이다. 주인공인 해구가 청부살인업자이기 때문이다. 작품 속에서는 청소부라고 한다. 다들 언제 죽을지 모르는 사람들이라서 그런지 여러모로 비장한 분위기를 자아낸다. 누아르의 장르 문법이겠지만 이것을 여자들의 이야기로 볼 수 있다는 점이 참 감격스럽다. 전반적으로 무채색이라 흡사 흑백 만화처럼 보이지만, 그 와중에도 피를 파란색으로 그려내는 연출이 굉장히 오묘했다.

해구는 자기가 죽인 남자의 딸을 데려다 키우며 '미안'이라는 이름을 붙인다. 그런데 하필이면 미안이 해구를 사랑하게 되면서 여러모로 일이 꼬인다. 사랑과 증오가 질척질척하게 뒤섞이는 감정이 섬세하게 묘사된다. 소위 '혐관' 키워드를 좋아하는 분이라면 강력 추천한다. 《해구》는 15금과 19금(완전판) 두 가지 버전이 있는데, 성인이라면 무조건 완전판을 보시길 권한다. 작중에서 육체적인 관계가 차지하는 비중이 제법 크기 때문이다. 작가님이 그리는 여체는 보면 볼수록 감탄이 나온다.

* 만약 《해구》를 보고 백합 누아르에 관심을 가지게 된 분이라면 「낙차」도 추천한다. 「낙차」는 백합 누아르 웹소설로서 선풍적인 인기를 끌었다. 후회공 키워드를 그다지 좋아하지 않기 때문에 완독하지는 못했지만, 어쨌거나 수작이므로 같이 소개한다. 1권부터 대단한 흡인력을 자랑한다.

「존잘님을 납치했다」는 범죄 스릴러와 백합이 결합한 웹소설이다. 분류는 GL이지만 로맨스 공식은 거의 따르지 않는다. 이 소설을 이해하기 위해서는 2000년대 동인계에서 흔했던 존잘 숭배 문화를 알아야 한다. 애초에 이 작품은 동인 중심 사이트였던 임시대피소에서 게시물 형식으로 연재되었다. 존잘이란 뛰어난 글이나 그림 솜씨를 자랑하는 동인을 통틀어 가리킨다. 당연히 그 존잘과 친해지고 싶어하는 사람은 많았다. 하지만 창작자는 대부분 자기들끼리 친해진다. 작품을 소비만 하는 사람이 그 안을 비집고 들어가기란 쉽지 않다. 그래서 몇몇 이들은 어떻게든 친해지기 위해서 그 존잘의 창작물을 찬양하며 홈페이지에 장문의 감상문을 남기기도 했다. 이 작품의 주인공인 P가 그랬던 것처럼. 거기서 그치면 일종의 동경으로 볼 수도 있지만, 간혹 감정이 깊어지면 유사연애처럼 발전하기도 했다. 임시대피소에서는 존잘님을 구구절절 찬양하면서 그분을 지하실에 감금하여 오로지 자신을 위해서만 연성(창작)하게 만들고 싶다는 익명의 글이 자주 보였다. 대부분은 상상에 그쳤겠지만 주인공인 P는 이것을 현실로 만든다. 자신이 숭배하던 존잘님인 H를 제목 그대로 납치하여 감금한 것이다.

존잘 숭배는 여성 숭배와도 닮았다. 제멋대로 이상적인 모습을 상상하다가 조금이라도 어긋나면 혼자서 실망

하고 가차 없이 끌어내린다. 악의에 받쳐서 폄하하는 경우도 흔하다. 결국 P의 눈에 비친 존잘님은 제 욕망이 투사한 그림자이지 H의 실제 모습이 아니었다. 작중에서는 P의 집착을 소름 끼칠 만큼 현실적으로 그려낸다. 실제로는 그리 가깝지 않은 사이인데도 불구하고 P는 H와 자신이 가깝다고 상상하면서 유대감에 대한 갈망을 채운다. P가 왜 그렇게 되었는지에 대해 자세한 설명은 나오지 않는다. 성장 과정에 문제가 있어서 사람들과 제대로 관계를 맺는 방법을 배우지 못했을 수도 있고, 학창 시절 왕따를 당하면서 피해의식에 사로잡혔을 수도 있다. 이유야 어찌 되었건 P는 대등한 관계 대신 숭배를 선택한다. 하지만 숭배와 동경은 이해에서 가장 동떨어진 감정이다. P는 자신이 존잘님의 이해자라고 자칭하지만, 사실상 H에 대해 아무것도 모른다. H의 창작물만 보고서 누구한테나 사랑받으리라 단정하지만, 사실 H의 가정환경은 행복과는 거리가 멀다.

이것을 가장 극단적으로 보여 주는 장면이 P가 존잘을 강간하는 장면이다. P는 동인지에서 나온 장면을 그대로 따라 하면서 H를 강간한다. 둘이서 함께하는 섹스라기보다는 타인을 강제로 끌어들인 자위에 가깝다. 그 어떤 당의정도 입히지 않은 날것의 폭력이다. 심지어 이 장면이 스너프 필름(사람이 실제로 살해되는 범행 장면을 담은 영상물)처럼 느껴졌다는 사람도 있었다. P는 이 과정을 통해서 마침내 둘만의 세계를 만들어 냈다고 믿지만, 어느새 H의 실종을 알아챈 사람들이 하나둘씩 움직이기 시작했다. H의 과거 지인이었던 G와 T가 그들이다. P를 추적하는 과정에서 위치 추적이나 아이피 추적 같은 방법이 아주 상세하게 묘사된다. 이런 일련의 묘사가 더없이 현실감을 자아내며 등줄기에 식은땀이 나게 만든다.

그 시절에 동인 활동을 했던 사람이라면 가가라이브, MSN, IRC 채팅방이라는 단어를 보고 반가움을 느낄 것이다. P가 있었던 채팅방의 인간 군상에 대한 묘사는 현실적이다 못해 당장이라도 살비듬이 풀풀 떨어져 내릴 것만 같았다. 당시 여성 동인의 존잘 문화를 연구하는 사람이라면 이 소설을 사료로 써도 충분할 것이다. 그러면서도 트위터를 기반으로 한 오타쿠 세대한테도 충분히 공감을 자아낸다. 『마리미테』가 바람직한 인간관계의 교본이라면 이 소설은 어디까지나 반면교사다. 이 소설은 숭배와 혐오는 결국 동전의 양면이라는 사실을 알려 주니까. 그만큼 인간관계의 어둠을 생생하게 파고드는 소설이다. 범죄 스릴러로서의 완성도도 높으니 소재를 견딜 자신이 있다면 읽어 보시기 바란다.

◆ 판타지 세계의 중심에서 성 소수자 인권을 외치다, 『내 최애는 악역 영애』

『내 최애는 악역 영애』(이하 와타오시)는 한국에 정식 발간되기 전부터 입소문이 파다했다. 우선 작가에게 공인받은 팬의 번역이 있었다. 결정적으로 '리드미컬백합충' 님의 자작곡은 이 작품에 대한 트위터 유저의 관심을 한데 끌어모았다. 심지어 원작자도 그중 하나였다. 지금 돌이켜봐도 정신이 혼미해지는 노래였다. 궁금하다면 트위터에서 검색해 보면 된다. 마침내 이 작품이 한국에 정식으로 발간되었고, 이내 선풍적인 인기를 끌었다. 알라딘에서는 예약 판매 시점에서 1권이 동나기도 했고, 그해(2020년) 리디북스에서는 해외 라이트노벨 베스트셀러 1위에 올랐다. 드디어 백합 작품이 절판이 아니라 품절되는 시대가 왔구나 싶어서 내심 얼마나 감격했는지 모른다. 이 같은 인기작이라 한 꼭지를 통째로 할애한다. 1부까지만 읽고 쓰는 글이라는 점을 양해 부탁드린다. 집중력이 하도 떨어져서 3권은 아직 비닐을 뜯지도 못했다.

『와타오시』의 초반부는 소위 '악역 영애물'의 클리셰를 고스란히 따라간다. 주인공 오오하시 레이는 악덕 회사에서 일하다가 과로사하고 만다. 그리고 즐겨 하던 오토메 게임의 주인공으로 환생한다. (작중에서는 전생이라는 말을 쓰지만 한국에서 많이 쓰는 단어는 아니기 때문에 환생이라고 적었다.) 덕분에 레이는 이 세계에 대해서 대체로 많은 것을 알고 있다. 레이는 내적 독백을 통해서 독자에게 한정된 설명만을 제공하고, 이 정보 격차가 호기심을 자아낸다. 작중에서 악역 영애인 클레어 프랑소와의 운명은 정해져 있다. 혁명이 일어나고 그녀는 몰락의 길을 걷는다. 레이는 그것을 막기 위해서 여러모로 고군분투한다. 하지만 아는 것만으로는 한계가 있다. 상황은 때때로 레이의 손을 완전히 벗어난다. 게다가 어느 정도는 게임의 줄거리대로 흘러가게 두어야 하기 때문에 지나친 개입도 불가능하다. 레이는 뛰어난 임기응변으로 그 사이에서 줄다리기를 한다. 이런 구도는 로맨스판타지의 '책 빙의물'에서도 자주 볼 수 있다. 로맨스판타지에 익숙한 사람이라면 『와타오시』도 무난하게 받아들일 수 있을 것이다.

그럼에도 불구하고 『와타오시』의 세계관은 제법 독특하다. 성 소수자에 대한 차별이 여전히 존재하기 때문이다. 백합 장르에서는 종종 여자끼리만 존재하는 세계관을 차용한다. 가상의 세계에서나마 이성애 규범성에서 자유롭고 싶은 퀴어 여성의 욕망이 반영된 결과이다. 오로지 여자들만 존재하기 때문에 당연히 성차별로부터도 자유롭다. 이런 세계관에서는 동성혼 법제화 같은 복잡한 문제를 고려하지 않고도 여자끼리 결혼과 임신, 출산이 가능하다. 일종의 사고실험이라고 볼 수도 있다. 하지만 『와타오시』는 정반대의 노선을 택한다. 마법이라는 현상이 존재하는 판타지 세계관인데도 불구하고, 이 세계에서 이성애 규범성과 성별 이분법은 여전하다. 레이는 때때로 억압에 정면으로 맞선다. 허구한 날 클레어에게 성희롱을 일삼다가도 느닷없이 돌변해서 성 소수자 인권 투사가 된다. 동성애는 성별과 관계없는 사랑이 아니라고 단호하게 말하는 장면은 1부에서 이미 언급했다. 2권에서 등장하는 릴리는 교회의 추기경이자 동성애자이다. 그녀는 높은 지위를 갖고 있는데도 언제나 뒷소문에 시달린다. 레이는 어느 수녀가 릴리를 폄하하는 말을 우연히 엿듣게 되고, 그 자리에서 릴리를 위해 나선다. 그 수녀가 하는 말은 너무나 흔한 동성애 혐오 발언이다. 동성애자의 사랑은 아이를 낳을 수 없기 때문에 허용해서는 안 된다는 식이다. 실제로 어느 일본 국회의원이 성 소수자(정확히는 LGBT)는 생산성이 없다는 발언을 해서 빈축을 사기도 했다. 그런 논리에서는 불임인 이성애자 부부의 사랑도 허용할 수 없다. 애초에 어떤 형태의 사랑만을 허용하고 장려하는 섹슈얼리티의 위계 자체를 비판해야 한다. 레이는 거기까지 언급하지는 않지만, 그 수녀가 동성애자를 혐오하는 이유를 본인의 입으로 내뱉게 만든다. 그 이유는 그저 '기분이 나쁘니까', 그 이상도 이하도 아니었다.

또한 레이는 동성애자를 위해서만 나서지 않는다. 작품 속에는 모종의 사정으로 후천적인 트랜스젠더가 된 인물이 존재한다. 그녀는 원래 시스젠더 여성으로 태어났지만 여러 복잡한 일을 겪고서 평소에는 남성으로 살아간다. 단순한 남장여자가 아니라 실제로도 남성의 신체를 지녔다. 마법이 존재하는 세계관이기 때문에 가능한 설정이다. 그녀는 성장하면서 마음의 성별과 몸의 성별이 일치하지 않아 극심한 괴로움을 느낀다. 흔히 말하는 성별 위화감이다. 레이는 그녀를 보면서 과거의 친구를 떠올린다. 그 친구 역시 트랜스젠더였는데 결국 비극적인 결말을 맞이한다. 이 친구의 이야기를 읽으면서 이게 과연 좋은 재현인지 자꾸만 고민하게 되었다. 그 친구의 비극은 그저 레이의 선행을 위한 계기로만 존재하는 것 같아서. 물론 트랜스젠더의 자살률은 상당히 높은 편이다. 트랜스젠더를 다룬 어느 일본 다큐멘터리*에서는

* 제목은 <I Am Here～私たちはともに生きている～>이다.

제발 스스로 삶을 포기하지 말라고 당사자들이 절절하게 호소한다. 그래도 여전히 찜찜함은 남는다. 굳이 비극으로 끝내지 않았어도 레이라면 다른 성 소수자를 위해서 팔을 걷어붙이고 나서지 않았을까. 게다가 레이는 현대의 기술로는 완벽하게 다른 성별로 전환하는 것이 불가능하다고 했지만, 애초에 그 '완벽한 신체'가 왜 하필이면 시스젠더의 신체인지는 의문시하지 않는다. 사실 겉모습만 봐서는 어떤 사람이 시스젠더인지 트랜스젠더인지 구별하기 힘들다. 넷플릭스 다큐멘터리인 〈디스클로저〉에서는 지나치게 '진짜 여성' 같다는 이유로 트랜스젠더 여성 역할을 뽑는 오디션에서 탈락한 어느 트랜스젠더 여성의 경험담이 나온다. 레이의 정의감은 높이 사지만 그것과는 별개로 이런 부분은 조금 아쉽다.

백합 카테고리에 속하는 작품인 만큼 레이와 클레어의 관계에 대해서도 빼놓을 수 없다. 둘의 관계가 발전하는 양상은 어느 정도 로맨스의 공식을 따른다. 처음에는 삐걱대며 다투지만 각종 고난을 함께하면서 어느덧 가까워지고, 마침내 서로 사랑하게 된다. 다만 한 가지 특이했던 점은 레이의 짝사랑을 묘사하는 방식이었다. 클레어는 원래 남성인 세인에 대해서 연심을 품고 있었다. 그런데도 레이는 연적인 세인을 미워하거나 질투하는 모습이

전혀 보이지 않았다. 오히려 둘을 이어 주려고까지 했다. 짝사랑은 어떤 식으로든 대가를 원하기 마련인데도 말이다. 그래서 처음에는 레이가 상당히 그릇이 큰 인물이라고 생각했다. 하지만 그것은 착각에 불과했다. 2권 첫 장에서 레이의 진심이 남김없이 까발려진다. 레이가 세인을 질투하지 않았던 이유는 자기기만으로 완전히 돌아버려서 끝까지 진심을 숨겼기 때문이다. 마나리아는 이 지점을 간파하고서 레이를 한계까지 몰아붙인다. 마침내 레이는 자신의 진정한 감정을 마주 보게 된다. 역시 짝사랑으로 끝나는 것은 원치 않는다고, 클레어가 자신을 돌아봤으면 좋겠다고. 1부에서 말했듯이 백합 장르에서 자기기만은 제법 익숙한 감정이다. 그걸 이렇게 비틀어서 묘사할 줄은 꿈에도 몰랐다. 지금 생각해도 멋진 반전이다. 이 마나리아라는 인물은 후반부에서 다시 한 번 레이를 밀어 주는 역할을 맡는데, 그 장면은 역시 직접 읽어 보아야 한다. 레이는 그녀 덕분에 이성이 아닌 감정과 숨김없이 부딪치게 되었다는 사실만 알려 둔다.

이 책에서는 어디까지나 백합 장르를 다루기 때문에 레이와 클레어의 관계, 그리고 작중 묘사되는 성 소수자에 초점을 맞춰서 언급했다. 하지만 판타지 소설이라는 관점에서 봐도 충분히 재미있다. 초반부는 클리셰를 고스란히 따라갔지만, 후반부는 그간 심어 두었던 복선을 차근차근 회수한다. 마침내 이야기가 대단원을 맞이했을 때의 그 벅찬 감동이란. 이 순간을 위해서 그 수많은 조연을 배치했구나 싶어 절로 감탄이 나왔다. 역시 인기작인 데는 이유가 있다. 코믹스판도 나오고 있으니 라이트 노벨이 낯선 사람이라면 이쪽을 추천한다.

여담으로 작품 속에서 묘사되는 성 소수자를 보면서 불편하다는 반응이 종종 나오는 모양이다. 이것만으로도 이 작품은 읽을 만한 가치가 있다. 왜냐하면 이해는 원래 불편한 감정이기 때문이다. 이해는 기존에 가졌던 편견을 스스로 찢어야만 가능하다. 사실 동성애자는 지지하지만 공공장소에서 두 남성이(혹은 여성이) 키스하는 모습을 보기 싫다는 시스젠더 이성애자는 생각보다 흔하다. 쉽게 말해서 존재는 허용하지만 존재의 표현은 허용하지 않겠다는 말인데, 그 자체로 모순이다. 존재를 받아들인다면 그 존재의 표현도 함께 받아들여야 한다. 공공장소에서 하는 키스가 이성 간에는 아무렇지 않게 용납된다면 더욱더 그렇다. 이해를 위해서는 이성애자가 갖는 불편함을 직시하게끔 해야 한다. 적어도 『와타오시』는 그런 면에 있어서는 합격인 셈이다.

◆ 분류하기 애매해서 따로 묶은 백합 작품들

〈그 여름〉은 라프텔에서 제작한 백합 애니메이션이다. 애니메이션으로서는 최초로 한국을 배경으로 한 작품이기도 하다. 주인공 둘이 초반에는 고등학생이다가 나중에 스무 살이 되기 때문에 여학생 백합이라고 하기는 애매하다. 그래서 여기에 따로 묶었다. 한국이 배경인 만큼 너무나 가까운 거리에서 느껴지는 작품이다. 햇살이 눈부신 여름을 표현하는 연출에서는 한국의 찌는 듯한 무더위가 느껴진다. 학교 풍경이나 분식집 풍경, 심지어 학교 선생님의 말투마저도 지극히 익숙하다. 주인공인 이경은 타고난 눈동자나 머리칼이 남들보다 색이 옅다는 이유만으로 온갖 모욕적인 소리를 듣는다. 서슴지 않고 개눈이라고 말하는 선생도 있다. 학생들의 개성을 인정하지 않는 한국 고등학교의 숨 막히는 분위기가 고스란히 전해진다. "너 레즈지?"라는 말을 아무렇지도 않게 내던지는 또래 여자애들은 또 어떤가. 경멸이 가득 담긴 눈빛은 보수적인 지방 도시에서 성 소수자 청소년이 겪어야 하는 괴로움을 여과 없이 드러낸다. 백합 장르 특유의 당사자성은 여기서도 빛을 발한다. 최은영의 원작부터가 퀴어 소설이니 당연하다면 당연한 일이지만.

이 작품은 사랑의 시작과 끝을 더없이 잔잔하면서도 현실적으로 묘사한다. 원작이 소설인 만큼 정적인 연출이 많다. 대사는 그리 많지 않고 독백이나 인물의 표정으로 장면을 이끌어 간다. 이경은 수이에게 받은 딸기 우유를 버리기 아까워서 화분으로 활용한다. 창가에 놓인 딸기 우유 팩이 하나하나 늘어가는 장면이 좋았다. 차곡차곡 쌓이는 호감과 두근거림을 간결하게 묘사한 장면이다. 하지만 연애의 모든 순간이 좋을 수는 없는 법이다. 이경과 수이는 여러모로 다른 사람이었다. 둘의 계급 격차와 가치관의 차이에서 오는 거리감은 참으로 시렸다. 작중 배경이 겨울이라서 더욱 그렇게 느껴졌다. 본인에게 그다지 관심이 없는 사람과 본인을 설명하기 좋아하는 사람. 오로지 둘만의 세계로 만족하는 사람과 좀 더 세계를 확장하고 싶은 사람. 그 거리감으로 인해 서서히 균열이 생겨나며 둘의 사랑은 결국 파국을 맞이하게 된다. 행복한 결말은 아니지만 그만큼 여운은 길게 남는다. 원작 소설도 꼭 같이 읽어 보시기 바란다.

〈마법소녀 마도카☆마기카〉(이하 마마마)는 소녀 이미지를 지닌 작품으로 한데 묶을 수도 있었지만, 기본적으로 마법소녀물의 계보를 따르기 때문에 따로 뺐다. 마법소녀물이라고는 해도 상당히 어둡고 잔혹한 장면이 이어지기 때문에 여아를 위한 작품은 아니다. 가끔 이 작품을 아이돌물이라고 사기 영업하는 사람도 보이던데 제발 그러지 말자. 몇몇 장면은 충분히 트라우마로 남을 수 있다. 이 애니메이션은 심야 시간대에 방영되었다는 사실을 기억하자. 각본가 역시 〈사야의 노래〉로 유명한 우로부치 겐이다. 귀여운 마스코트 캐릭터인 큐베는 사실 마법소녀를 그저 가축으로만 보며 불공정 계약을 일삼는다. 대부분의 마법소녀는 야생 동물처럼 그리프 시드를 둘러싸고 영역 다툼을 벌인다. 작중에서 선배 캐릭터로 등장하는 토모에 마미가 오히려 예외적인 존재였다. 주인공인 마도카의 친구인 사야카는 잔혹한 현실을 버티지 못하고 서서히 망가져 간다. 그럼에도 불구하고 결국은 마법소녀물의 주제인 사랑과 용기와 희망을 이야기하는 작품이다. 일종의 인간 찬가이자 어른들을 위한 잔혹 동화인 셈이다. 끝까지 보면 무슨 소리인지 이해할 수 있을 것이다.

또한 〈마마마〉는 2차 백합이라는 측면에서도 선풍적인 인기를 불러일으켰다. 호무라와 마도카, 쿄코와 사야카의 커플링이 특히 인기가 많았다. 2011년 당시에 〈동방프로젝트〉 백합 동인이 죄다 〈마마마〉로 몰려가는 바람에 괜히 서운했던 기억이 난다. TVA는 넷플릭스에서 전편을 볼 수 있지만, 후속작인 〈반역의 이야기〉는 아직 정식으로 수입되지 않았다. 〈반역의 이야기〉에서 호무라의 내면을 속속들이 엿볼 수 있다는 점을 생각하면 아쉽기 그지없다.

〈리즈와 파랑새〉 역시 일본의 여학생 백합으로 묶을 수도 있었지만, 이 작품은 〈울려라! 유포니움〉이라는 애니메이션의 스핀오프 작품이기 때문에 설명을 위해서 따로 뺐다. 미리 말해 두지만 〈리즈와 파랑새〉만으로도 충분히 독립적인 작품이다. 굳이 〈유포니움〉을 볼 필요는 없고 백합을 목적으로 보는 사람에게는 그리 추천하지도 않는다. 어차피 주연인 노조미와 미조레의 과거가 등장하는 TVA 2기는 판권 계약 종료로 국내에서 볼 수 없게 되었지만 말이다. 추천하지 않는 이유는 바로 퀴어베이팅 논란 때문이다. 우선 퀴어베이팅이 무엇인지부터 간단히 설명하겠다. 여성주의 저널 〈일다〉의 기사 하나를 인용하면 다음과 같다.

“간단히 설명해 보자면, 퀴어베이팅은 미디어에서 서브 텍스트를 통해 퀴어를 재현하는 듯한 행위를 내비치며 퀴어 시청자들의 관심을 낚지만, 실제로 퀴어 재현을 하는 것은 아니어서 ‘일반 대중의 불편함’이나 동성애혐오 세력들의 비난은 피하는 방식을 뜻한다.”*

* 박주연, “퀴어 시청자들을 낚는 ‘퀴어베이팅’을 아시나요”, 일다, 2019.08.22, 출처 https://www.ildaro.com/8531

8화에서 레이나는 쿠미코에게 자칭 '사랑의 고백'을 한다. 한밤중 산을 오르는 둘의 모습에서는 더없이 로맨틱한 긴장감이 감돈다. 하지만 그 장면뿐이다. 레이나는 언제 그랬냐는 듯이 타키 선생(취주악부 담당 교사, 남성)에 대한 사랑을 표현한다. Like가 아니라 Love라나. 사실 이것만 놓고 보면 애매하다. 레이나가 쿠미코에 대한 자신의 감정을 부정하는 디나이얼 양성애자라고 억지로 끼워 맞추는 것도 가능하다. 하지만 2기까지 보고 나면 이 세계관이 동성애를 처음부터 존재하지 않는 것처럼 취급한다는 사실을 알 수 있다. 타키 선생에 대한 레이나의 마음이나 아스카에 대한 쿠미코의 마음은 크게 다르지 않다. 걱정하고 배려하며, 때로는 애틋한 마음으로 대한다. 그런데 작중에서 전자는 당연히 사랑으로, 후자는 자매애로 읽힌다. 똑같은 좋아한다(일본어로는 好き)인데도 말이다. 아스카는 쿠미코에게 좋아한다는 말을 듣고도 눈 하나 깜짝하지 않고 흘려보낸다. 최소한 그 감정이 무엇인지 물어보기라도 하거나 하다못해 거절이라도 했다면 이렇게까지 내상을 입지는 않았을 것이다. 〈유포니움〉의 세계에서 여성이 여성에게 끌리는 감정은 우정이나 자매애로 '안전하게' 포장된다. 주류 사회의 비위를 거스르지 않도록. 게다가 쿠미코는 결국 남성인 소꿉친구와 이어지기 때문에 이 작품을 백합으로 소개할 수는 없는 노릇이다.

일이 이렇게 흘러간 이유는 야마다 나오코와 다른 남자 감독들이 지향하는 방향이 달랐기 때문이다. 감독들의 인터뷰를 읽어 보면 야마다 나오코는 딱히 백합 작품을 연출하고 싶은 마음은 없었다. 그저 사춘기를 그리고 싶었다고 했을 뿐이다.* 이것이 와전되어 '사춘기의 일시적인 감정'이라는 말이 돌던데 그것은 사실이 아니다. 그래서인지는 모르겠지만 야마다 나오코가 단독으로 감독을 맡은 작품인 〈리즈와 파랑새〉에서는 대놓고 사랑한다는 대사가 나온다. 이 작품 자체가 야마다 감독의 살풀이라는 생각마저 든다. 참고로 일본어의 아이시테루(愛してる)는 연인 간의 사랑이라는 뉘앙스가 짙다. 작품 속에서 리즈가 파랑새에게 한 대사인데 리즈와 파랑새가 누구를 가리키는지는 직접 보시면 알 수 있다.

〈리즈와 파랑새〉의 주인공인 요로이즈카 미조레는 섬세하고 예민한 사람이다. 그런 사람이 누군가를 사랑하면 내면의 심상 풍경은 어떻게 펼쳐질까. 이 영화는 미조레의 시선을 따라가며 그것을 세세하게 묘사한다. 영화

* <アニメスタイル007>에 감독들의 인터뷰가 특집 기사로 실려 있다.

는 미조레가 노조미를 기다리며 함께 등교하는 장면으로 시작한다. 시야에 노조미가 등장하자마자 미조레의 얼굴에 화색이 돈다. 카메라는 그때부터 오로지 노조미만을 담는다. 노조미의 등과 머리카락과 신발만이 계속해서 보인다. 미조레에게 노조미는 세계 그 자체이다. 폐쇄적인 공간인 학교를 배경으로 그 관계는 둘이 고3이 될 때까지 이어져 왔다.

하지만 둘은 이제 졸업을 앞둔 고3이다. 언제까지나 그 관계를 이어갈 수는 없다. 두 사람이 취주악부에서 '리즈와 파랑새'라는 곡을 연주하게 되면서부터 서서히 갈등이 표면화된다. 타키 선생은 노조미에게 미조레의 연주를 제대로 듣고 있냐고 묻는다. 후배 하나는 아예 대놓고 둘이 안 맞는 게 아니냐고 질문한다. 미조레는 괴로운 표정을 지으면서 그것을 애써 부정한다. 둘의 연주가 삐걱거리는 가운데, 모종의 사건을 계기로 노조미는 미조레에 대한 열등감을 자각하게 된다. 노조미가 자신이 평범한 사람이라는 사실을 직면하고 나서 우는 모습은 더없이 안쓰럽다. 그 시절은 누구나 자신이 특별하다고 한 번쯤은 믿기 마련이니까. 그렇지만 이 세상의 대부분은 평범한 사람들이 차지하며, 소소하게 빛나는 일상이야말로 가장 소중한 것이다. 찬란하게 빛나는 순간 뒤에는 수많은 지루한 일과가 있다. 노조미도 언젠가는 이 사실을 깨닫게 될 것이다.

또한 이 작품은 백합이면서 동시에 훌륭한 소녀 성장물이다. 특히 주인공인 미조레에게 초점을 맞춰서 감상하면 두드러지게 이 지점을 느낄 수 있다. 초반부에서 오로지 노조미만을 바라보며 자신을 억누르던 미조레가 후반부에서는 뚜렷하게 자기 목소리를 낸다. 그 과정에서 노조미 또한 미조레에게 의존하고 있었다는 사실이 드러난다. 결국 의존과 보호는 동전의 양면이니까. 결말에서 둘은 불완전하게나마 건전한 자립을 이룬다. 하늘을 배경으로 두 마리의 파랑새가 날아가는 장면에서 그 지점이 보다 명확해진다. 노조미의 등을 미조레가 좇으면서 걸어갔던 초반부와는 달리, 마지막 장면에서 둘은 학교를 나와서 나란히 걸어간다. 어떤 방식으로 읽어도 재미있는 작품이니 꼭 한 번 보시기 바란다.

◆ 백합과 퀴어 작품의 차이점

이렇게 제목을 써 두기는 했지만 내심 이런 생각이 든다. 그걸 꼭 구별해야 할까? 엄밀히 따지자면 퀴어 작품이지만(여기서 퀴어 작품이란 편의상 퀴어가 주인공인 작품으로 한정한다) 백합 향유층이 그것을 백합으로 받아들이고 소비하는 경우가 한둘이 아니기 때문이다. 백합이라는 장르가 지닌 당사자성을 고려하면 그 경계는 더욱 희미해진다. 〈윤희에게〉라는 퀴어 영화만 하더라도 몇몇 팬이 자신을 '백합러'라고 지칭했고, GL 웹소설 작가가 〈윤희에게〉의 2차 창작 팬픽을 쓰기도 했다. 심지어 제작진이 GV에서 '커플링 인기 투표'를 하는 기염마저 토했다. 한순간 여기가 백합 온리전인지 퀴어 영화 GV인지 헷갈릴 지경이었다. 당시 좋아하던 커플링인 료코×쥰이 선택지에 없어서 아쉬웠던 기억이 난다. 그야말로 '일본의 테레즈'인 료코가 없다니 지금 생각해도 너무한 처사다.

그래도 굳이 차이를 짚어 내자면 다음과 같다. 백합은 장르이기 때문에 비교적 엄격한 장르 문법의 제약을 받지만, 퀴어 작품은 그렇지 않으며 보다 넓은 개념이다. 장르 문법이란 다시 말해서 장르의 규칙, 혹은 관습이다. 아무리 넓은 정의의 백합이라고 해도 최소한의 조건은 갖춰야 한다고 1부에서 언급했다. 일단 주인공과 주연 대부분이 당연히 여자여야 한다. 남성은 최대치가 조연이다. 또한 두 여자의 깊은 관계를 다루는 내용이 주요 서사로 나와야 한다. 남자와 이어지는 작품은 기본적으로 탈락한다. 하지만 퀴어 작품은 이런 조건을 갖출 필요가 없다.

퀴어 남성이 주인공으로 등장해도 되고, 퀴어 여성이 결말에서 남성과 이어진다고 하더라도 상관없다.

사정이 이렇다 보니 백합 애호가가 퀴어 작품 중에서 입맛에 맞는 작품을 찾아보려면 약간의 수고를 들여야 한다. 주인공이 레즈비언(혹은 바이)이면서 로맨스가 주요 소재인 작품만 추려서 감상해야 하니까. 만약 퀴어 영화를 보고 싶다면 왓챠나 넷플릭스 같은 영상물 플랫폼에서 '퀴어' 카테고리로 들어가서 열심히 찾아보면 된다. 왓챠에서는 앞서 언급한 〈윤희에게〉 외에도 『핑거스미스』를 각색한 박찬욱 감독의 〈아가씨〉, 중국계 미국인들의 사랑 이야기를 다루는 〈세이빙 페이스〉도 볼 수 있다.

퀴어 문학에 대해서는 상대적으로 할 말이 많다. 2000년대 이후로 한국 문학에서는 레즈비언을 다루는 작품이 늘어났다. 이것 자체는 물론 환영할 만한 일이다. 하지만 정작 내실을 들여다보면 퀴어 당사자가 읽기에는 껄끄러운 작품도 많다. 이성애자 여성의 입장에서 레즈비언을 연대의 대상, 혹은 철저히 소재로만 다루는 것이다. 그런 소설은 레즈비언을 지나치게 낭만화하는 데다 레즈비언의 성애적인 욕망을 살균한다. 지금은 판매가 중지된 모 소설은 주인공이 과거에 여자를 사랑했던 자신의 학창 시절을 가리켜서 '우리는 모두 미쳤다'라며 병리화의 언어를 빌려서 설명한다. 정작 본인은 안전한 정상성의 경계 안쪽에 서 있으면서 말이다. 동성애에 정신병이라는 낙인이 얼마나 지긋지긋하게 따라붙었는지 안다면 함부로 이런 말은 하지 못한다. 게다가 작중에서 화자는 틈만 나면 본인이 남자 친구를 사귀었다는 사실을 강조한다. 나는 동성애자가 아니지만, 하고 철저하게 선을 긋는 것처럼. 한마디로 재수가 없다. 이게 무슨 퀴어 문학인가. 젠체하는 '헤녀(이성애자 여성) 문학'이지. 결정적으로 이 작품의 판매가 중지된 이유는 실존 인물의 이야기를 가져다 썼다는 의혹이 제기되었기 때문이다. 피해자는 이 작품 때문에 원치 않게 정체성이 알려지는 아웃팅 피해까지 겪었다고 한다. 이러니 단순히 문단 문학에 레즈비언 소재가 늘어났다고 해서 반길 수만은 없다.

사정이 이렇다 보니 무지개책갈피*의 소개는 큰 도움이 된다. 이곳은 한국 퀴어 문학 종합 플랫폼이다. 이곳에서 '레즈비언', '동성애자' 등의 태그로 작품을 찾아볼 수도 있고, '전지적 퀴어 시점'으로 쓰인 상세한 리뷰도 자주 올라온다. 소설이나 시뿐만이 아니라 그래픽 노블 작품의 소개도 종종 찾아볼 수 있다. 이 중에서 여성이 주인공이

* http://rainbowbookmark.com/new

고 여성 간 로맨스가 주요 소재인 작품만 골라서 읽으면 된다. 여기서는 재미있게 읽었던 소설인 『괴물 장미』만 소개하고 넘어간다.

『괴물 장미』는 로맨스와 스릴러가 결합한 로맨스릴러 소설이다. 이 소설에는 뱀파이어가 된 여성이 종종 등장한다. 그들은 자신을 괴물이라 칭한다. 괴물을 정상적인 인간 신체를 정의하기 위한 구성적 외부로 본다면 그들은 괴물이 맞을 것이다. 하지만 괴물의 정의를 약간 비틀어서 타인을 착취하고 학대하지 않으면 살아갈 수 없는 자들이라고 한다면, 수많은 남자가 괴물이 된다. 여성이기에 겪어야 하는 그 무수한 폭력의 예감이야말로 괴물보다 더 스산하고 끔찍한 것일지도 모른다. 하지만 주류 사회는 언제나 약자를 괴물로 정의해 왔다. 그 과정에서 괴물은 언제나 침묵을 강요당한다. 이 소설은 그 괴물들이 자기 목소리로 항변하는 일종의 잔혹동화이다. 세상의 보편이라 여겨지는(백인, 중산층, 서구 남성) 자들이 그들의 탐욕과 추악함을 투사해서 몰아낸 존재가 괴물이라면, 그 괴물들이 입을 열어 절규하는 이야기에 귀를 기울이는 것은 분명히 의미가 있다. 로맨스로도, 스릴러로도 훌륭한 작품이니 꼭 읽어 보셨으면 한다. 다만 가정 폭력 묘사가 노골적으로 나오니 이 점은 유의하시기 바란다.

◆ 또속은GL봇을 구독했다가 뮤지컬을 보러 간 이야기

트위터에는 또속은GL봇(@GL_bot)이라는 계정이 있다. 온갖 백합 작품의 제보를 받아서 소개하는 계정인데 여러모로 유용하다. 이 계정은 언제나 작품을 직접 보고서 '찐 등급'을 매겨 주기 때문이다. 이를테면 별이 4개라면 그 작품은 아예 GL 카테고리로 분류되고 주인공 둘이 '진짜로' 키스했다. 별이 5개라면 주인공 둘이 '진짜로' 섹스했다. 그 밑으로 갈수록 작중에서 사랑이라고 명시된 감정이 아니거나 사랑이라고 하더라도 분량이 적다. 두 여자의 관계라면 무엇이든 상관없다는 사람한테는 이 분류가 필요 없다. 하지만 명시적인 로맨스 위주로 소비하는 사람한테는 꼭 필요하다. 본인이 원하는 기준을 충족하는 작품을 찾아서 볼 수 있으니까. 게다가 이 계정에는 웹툰이나 웹소설, 애니메이션 작품뿐만 아니라 여자 아이돌의 뮤직비디오나 드라마, 뮤지컬 등 소위 2.5D(혹은 3D) 작품도 소개한다. 뮤지컬인 〈리지〉도 그중 하나였다.

계기는 또속은GL봇에게 들어온 제보였다. 〈리지〉에서 여자 둘이 키스를 엄청나게(원문은 '존나'였지만 순화했다) 많이 한다는 것이다. 그 말을 듣자마자 인터파크로 달려

가서 묻지도 따지지도 않고 예매했다. 대략적인 줄거리만 훑어보고서 공연장으로 들어섰다. 그런데 뭔가 예상했던 것과는 조금 달랐다. 〈리지〉는 보든 가 저택에서 일어난 살인 사건을 다루는 뮤지컬이다. 그래서 범죄 수사물인 줄로만 알았는데 느닷없이 등장인물들이 록을 제창하기 시작했다. 나중에 알고 보니 리지는 록 뮤지컬이었다. 뜬금없이 노래 가사에서 "다 좆까!"가 들려와서 얼마나 놀랐는지 모른다. 리지가 드레스를 벗어 던지고 현란한 복장으로 갈아입은 모습을 보자 일종의 카타르시스가 느껴졌다. 노래 하나로 가부장제의 억압을 단번에 깨부술 수 있다니! 비록 제대로 닿은 키스는 단 두 번뿐이었지만 어쨌거나 여자 둘은 깊고도 무거운 사랑을 하고 있었다. 집으로 돌아오니 다른 배우가 연기하는 리지도 보고 싶어졌다. 무언가에 홀린 듯이 다시 예매했다. 재관람 할인은 20퍼센트였지만 예술인 할인 30퍼센트에는 미치지 못했다. 친구 따라 강남 가듯이 만들어 놓은 예술인 패스가 이렇게 유용할 줄이야. 가사를 잘 알아듣지 못했기 때문에 이번에는 사전에 프로그램 북까지 구매하기로 했다.

두 번째 관람은 첫 관람에 비해 세세한 부분이 눈에 들어왔다. 아마 줄거리를 이미 알기 때문에 상대적으로 여력이 생겨서겠지. 앨리스가 리지의 몸을 쓸어내리는 손길에서는 진한 성적 긴장감이 느껴졌다. 아삭, 하고 베어 무는 배에서 흘러내리는 과즙이 이렇게까지 야릇할 줄이야. 게다가 여동생을 지극히 아끼는 언니인 엠마도 그제야 눈에 들어왔다. 엠마는 어린 나이에 어머니를 잃은 동생을 가엾게 여기고 사랑한다. 히스테리컬한 목소리로 리지를 부르면서도 마지막까지 동생 편을 든다. 묵묵히 리지의 곁을 지키는 하녀인 브리짓은 또 어떤가. 말없이 리지를 관망하면서도 엠마에게는 따로 입막음 비용까지 뜯어낸다. "제 이름은 메기가 아니라 브리짓"이라는 대사와 함께. 자신은 어디까지나 공범이라고 주장하려는 듯이. 여자 배우들만 나오는 뮤지컬은 이렇게나 황홀한 울림을 선사한다. 그간 뮤지컬에 별로 관심이 없었던 이유는 남자 배우들이 주로 이끌어 가는 작품이 많아서였다. 〈리지〉처럼 여자 배우들만 나오는 뮤지컬이 앞으로도 많이 늘어났으면 좋겠다. 이왕이면 여자 둘이 키스까지 하는 작품이면 더더욱 환영이고.

◆ 나오며, 백합은 곧 여성의 자기애다

후지모토 유카리라는 연구자가 있다. 주로 소녀 만화(일본의 순정만화)를 중심으로 평론을 써 오신 분이다. 그 분의 저서인 『내가 있을 곳은 어디인가私の居場所はどこにあるの』에는 소녀 만화에 등장하는 레즈비언에 대해서 다루는 단원이 있다. (이 책은 1990년대 말까지만 다루고 있기 때문에 아직 백합이라는 장르명은 등장하지 않는다.) 1980년대까지만 하더라도 레즈비언이 등장하는 소녀 만화는 비극적인 결말이 많았다. 하지만 1990년대에 들어서자 밝은 레즈비언이 등장하기 시작한다. 저자는 우선 '세일러문 야오이'에 대해서 언급한다. 이 세일러문 야오이는 주로 우라너스와 넵튠을 중심으로 그려졌지만, 다른 여자 캐릭터도 종종 등장한다. 저자는 세일러문의 동인지 하나를 인용한다. 여기서는 여자아이가 자신의 성기를 보면서 책에서 본 것과 다르다며 충격을 받거나, 서로의 성기를 보여 주기도 한다. 저자는 이 장면을 보고 이렇게 평가한다.

"나는 이러한 작품을 읽으며 성에 대해 일차적으로 두려움을 느끼거나, 성을 자신의 신체와 분리해서 조종할 필요가 없는 세대가 자라났다고 절감했다. 과거에 나는 성은 여자아이에게 일차적으로 가장 두려운 것이고, 소녀가 과격한 성을 그려내기 위해서는 반드시 소년의 몸을 빌려서 표현해야 했던 이유는 그 아픔을 자기 자신으로부터 떼어내서 조종하고 싶어서라고 썼다. 하지만 여기서는 이미 그런 조작이 필요하지 않고, 성을 있는 그대로, 혹은 순수한 쾌락으로서 받아들일 수 있는 여자아이가 존재한다. (중략) 그렇다, 여자라는 사실은 더는 마이너스 기호가 아니게 된 것이다. 최근 들어서 쏟아지는 레즈비언 만화는 그야말로 그런 현실의 반영이었다."*

여기서 "소년의 몸을 빌려서 표현하는" 장르는 다름 아닌 소년애, 즉 BL이다. 소년애(BL)가 여성/성에 대한 기피와 혐오에서 기인한다는 설명이야 너무 흔해서 이제는 새삼스럽지도 않다. 여기서 주목해야 할 지점은 여자가 더는 마이너스 기호가 아니게 되었다는 부분이다. 이것을 바꾸어 말하면 여성의 자기애이다. 여성 혐오적인 사회에서 여성과 여성성에는 언제나 모멸의 언어가 따라붙는다. 여성도 이것을 어느 정도 내면화하기 때문에 여성의 여성 혐오는 곧 자기혐오이다. 하지만 백합 장르는 그것을 걷어내고 거울에 비친 또 다른 자신을 직시하고

* 藤本由香里, <私の居場所はどこにあるの? 少女マンガが映す心のかたち>, 朝日文庫, 2008, p.300.

포용하며 그녀를 향해서 손을 내민다. 백합 장르는 여성이 여성을 사랑하는 장르니까. 게다가 저자는 이 밝은 레즈비언에 대해서 이렇게 덧붙인다.

"나는 예전에 이 사회에서 여자가 자신의 자리를 확보하기 위해서는 특정한 남자로부터 사랑받고 그 남자한테 선택받을 필요가 있다고 썼다. 여자는 남자라는 매개체를 거치지 않고서는 정식으로 이 사회의 구성원으로 인정받지 못한다. 특정한 남자에게 선택받는 것은 사회로부터 인정받기 위한 여권이었다. 그것을 여성도 내면화했다는 사실이 여성이 지닌 불안의 원천이었다. 그래서 그 불안은 여성으로부터 사랑받는 것으로는 절대 해소할 수 없었다. 그것이야말로 소녀 만화에 레즈비언을 다룬 작품이 적고, 있어도 어두운 방식으로 그려내는 이유라고 썼다. 하지만 우리는 완전히 달라진 현실을 맞이했다. 다시 한 번 말하지만, 밝은 레즈비언이 등장할 수 있었던 이유는 여자가 더는 마이너스 기호가 아니게 되었기 때문이다. 자신의 가치를 자신이 창조할 수 있고, 자신의 자리는 자신이 얻어내려고 하는, 그런 여자들이 늘어났다는 뜻이다. 여자들끼리 맺어지는 것에서 확실한 존재 이유를 찾아낼 수 있는, 그런 여자들도 늘어났다는 뜻이다."*

* 藤本由香里, 같은 책, p.301~302.

백합 장르에서 여성은 남성의 승인이 필요하지 않은 존재이다. 남자라는 욕망의 대리인이 없기 때문에, 그들은 무엇이든지 될 수 있고 어디로든 갈 수 있다. 문자 그대로 "걸즈 캔 두 애니싱(Girls can do anything, 여자아이는 무엇이든 할 수 있다)"이다. 성욕, 권력욕, 지배욕, 여성에게는 금지되었던 모든 욕망이 한꺼번에 분출한다. 1부에서는 백합이 여성 해방을 위한 도구가 아니라고 썼지만, 그럼에도 불구하고 백합 작품을 읽는 여자들한테 일종의 해방감을 선사할 수는 있다. 이렇게 여성에게만 주연의 자리를 내어주는 장르는 흔치 않으니까. 백합을 즐긴다고 해서 내면화된 여성 혐오를 극복하기는 어렵겠지만, 적어도 여성인 자신을 담담하게 받아들일 수는 있다. 백합은 근본적으로는 서브컬처 장르이니 되도록 가벼운 마음으로 시도해 보셨으면 한다. 이 책이 그 과정에서 길잡이가 될 수 있다면 글쓴이로서는 더없는 영광이다.

◆ 부록

2부에서 언급한 작품의 대부분은 각종 플랫폼에서 정식으로 구입할 수 있다. 만화나 웹소설이라면 리디북스를 비롯한 각종 전자책 플랫폼을 택하면 된다. 알라딘, 예스24, 교보문고, 본인이 주로 이용하는 플랫폼에서 구매하시라. 검색하면 종이책이 존재하는지 여부도 알 수 있다. 애니메이션이라면 대부분 라프텔이나 왓챠에서 볼 수 있다. 게임이라면 당연히 스팀이다. 하지만 몇몇 작품은 특정 플랫폼에서만 볼 수 있거나, 여러 번거로운 절차를 거쳐야 한다. 부록에서는 이런 작품 위주로 설명한다.

* 웹툰

특정 플랫폼 독점이거나 리디북스에 없는 작품인 경우만 따로 명시한다. 명시하지 않은 작품은 대부분 리디북스에서 찾아볼 수 있다. (단, 한국에 정식 출간된 작품에 한함)

· 관계지침: 카카오페이지(독점)

· 모란과 도화의 계절: 카카오페이지, 봄툰, 레진코믹스, 네이버 시리즈

· 반하면 안 돼!: 리디북스(독점)

· 데빌 드롭: 레진코믹스(독점)

· 블루밍 시퀀스: 카카오페이지(독점)

· 그녀의 심청: 카카오페이지, 코미코, 봄툰, 네이버 시리즈

· 해구: 네이버 시리즈(독점)

* 애니메이션과 게임은 아래 QR 코드를 참조하면 된다.

애니메이션

게임

『백합, 이 좋은 걸 이제 알았다니』

독자 북펀드에 참여해 주신 분들

Candyrain
CedricMJ 장민호
HR
jdakhh
Kirnan
Pale Blue Dot
Pink
saku
seri
가온뉘
강윤지
강지영
강표범의위험한삶
고지영
김경수
김규린(2)
김다예
김다인
김도진
김동휘
김미로
김미림
김민지
김이삭
김중기
김지영
김현영
김현이
김형준
김혜리
김희경
꼼토
나무나
나비매듭
나의 구원자
나채원
남도현
남돌포타만읽지만후원해요
남진우
남현주
다이아나
단하루
데네브
델몬트젤리뽀
도균
동백
드보르장
라일락
루카
룹
맹채린
명품백합
문환이
민서희
바킹독
박경화
박기효
박도희
박복숭아
박성원
박소연
박은준
박의영
박재연
박지영
박지호
백지
백지수
백탕
보람있는 지구생활
불곰
상부
새벽놀
서램
서연오
서윤미
서은주
설하
소랑
손찬국
송정환
수집가
신소현
신환수
아샬
안녕하잉
안중기

앙꼬코리뽕
앙주
애완곰푸
양보람이언덕
에리우미영원하길
에몽스토리
에이제타
여름
여름이
연(2)
연이동주밥풀
연혜원
오목
와야리
요디
유운기
유지우
윤시슴
이계영
이다혜
이삼
이서연
이원서
이준환
이하진
이호준
일칠이구
임가은
장복길
장주현
전서은
정성욱
정수환
정일
정지훈
정한새
조소은
조영구
조유진
조은별(조현규)
조호성
주현이
주혜빈
쥬쥬
지복
채수아
체리캔디
총장딸
최성용
최이린
최종빈
최지혜
최진실
최혜선
추장의딸
콘
타바
토게피
토끼굴생강빵
파란
펑션
하윤
하치쥬하치카쇼준레이
한태웅
해빛찬
허송이
현미정
현지수
호밀루
홍연
황보태훈
황수진
황용규
황우진
황윤정

백합, 이 좋은 걸 이제 알았다니

1판 1쇄 인쇄 2023년 2월 15일
1판 1쇄 발행 2023년 2월 25일

지은이 요라

발행인 김지아
표지 및 본문 디자인 강수정

펴낸 곳 구픽
출판등록 2015년 7월 1일 제2015-27호
주소 서울시 광진구 동일로 459, 1102호
전화 02-491-0121
팩스 02-6919-1351
이메일 guzma@naver.com
홈페이지 www.gufic.co.kr

ISBN 979-11-87886-86-0 03810

※ 책값은 뒤표지에 있습니다.